Einfaches tägliches mediterranes Diätkochbuch

50 köstliche Rezepte aus dem gesündesten Lebensstil

Adriana **Wagner**

Haftungsausschluss

Die enthaltenen Informationen sollen als umfassende Sammlung von Strategien dienen, über die der Autor dieses eBooks recherchiert hat. Zusammenfassungen, Strategien, Tipps und Tricks sind nur Empfehlungen des Autors. Das Lesen dieses eBooks garantiert nicht, dass die Ergebnisse genau den Ergebnissen des Autors entsprechen. Der Autor des eBooks hat alle zumutbaren Anstrengungen unternommen, um den Lesern des eBooks aktuelle und genaue Informationen zur Verfügung zu stellen. Der Autor und seine Mitarbeiter haften nicht für unbeabsichtigte Fehler oder Auslassungen. Das Material im eBook kann Informationen von Dritten enthalten. Materialien von Drittanbietern bestehen aus Meinungen, die von ihren Eigentümern geäußert wurden. Daher übernimmt der Autor des eBooks keine Verantwortung oder Haftung für Material oder Meinungen Dritter.

Inhaltsverzeichnis

EINFÜHRUNG

Wenn Sie versuchen, Lebensmittel zu essen, die besser für Ihr Herz sind, beginnen Sie mit diesen neun gesunden Zutaten der mediterranen Küche.

Zu den Hauptzutaten der mediterranen Küche zählen Olivenöl, frisches Obst und Gemüse, proteinreiche Hülsenfrüchte, Fisch und Vollkornprodukte mit moderaten Mengen Wein und rotem Fleisch. Die Aromen sind reichhaltig und die gesundheitlichen Vorteile für Menschen, die sich für eine mediterrane Ernährung entscheiden, eine der gesündesten der Welt, sind schwer zu ignorieren - sie entwickeln weniger wahrscheinlich hohen Blutdruck, hohen Cholesterinspiegel oder werden fettleibig. Wenn Sie versuchen, Lebensmittel zu essen, die besser für Ihr Herz sind, beginnen Sie mit diesen gesunden Zutaten der mediterranen Küche.

1. Frühstück Hummus Quesadilla (kein Käse) (vegetarisch)

Befestigungen

- 1/2 Zwiebel, fein geschnitten
- 1 roter Glockenspielpfeffer, fein geschnitten

- 1 Roma-Tomate, gespalten
- 1/2 Tasse Mais (neu oder gefroren)
- 1 Tasse Spinat, gespalten
- 2 Vollkornweizen oder ohne Glutentortillas
- 1/3 Tasse Hope Foods Jalapeño Koriander Hummus
- 1/2 Tasse dunkle Bohnen, erschöpft und gewaschen
- 1 Avocado, gequetscht
- Salsa und Koriander zum Fixieren

Richtungen

1. Fügen Sie in einer mittelgroßen Pfanne bei mittlerer Wärme ein kleines Wasser (oder Öl, falls verwendet) hinzu. Zwiebel hinzufügen; 3-4 Minuten kochen lassen, bis sie klar werden. Fügen Sie Glockenspielpfeffer hinzu; 5 Minuten kochen lassen. Fügen Sie Tomate und Mais hinzu; 5 weitere Minuten kochen lassen. Fügen Sie Spinat hinzu; kochen, bis es geschrumpft ist, ungefähr 1 Moment.
2. Finde ein Tortilla-Level. Auf eine Portion Tortilla die Hälfte des Hummus geben; gleichmäßig verteilen. Die Hälfte des Gemüses und 1/4 Tasse dunkle Bohnen auf den Hummus geben.
3. Überziehen Sie die Tortilla zu gleichen Teilen.

4. Fügen Sie in einer ähnlichen Pfanne den Quesadilla hinzu. Bei mittlerer Wärme 2-3 Minuten auf jeder Seite kochen, bis sie etwas frisch sind.
5. Beseitigen; in 4 gleichmäßige Stücke schneiden.
6. Mit der anderen Tortilla und dem Rest der Füllungen aufwärmen.
7. Präsentiert mit zerstoßener Avocado, Salsa und neuem Koriander.

2.Dunkle Bohnen Yam Yam Breakfast Skillet Bowl (vegan)

Befestigungen

FÜR DEN GEWÜRZMISCHUNG

- 1 Teelöffel Bohneneintopfpulver
- 1 Teelöffel gemahlener Kreuzkümmel

- 1 Teelöffel Meersalz (oder nach Geschmack)
- 1/2 Teelöffel Zwiebelpulver
- 1/2 Teelöffel Oregano
- 1/2 Teelöffel geräucherter Paprika • 1/4 Teelöffel Knoblauchpulver
- gemahlener dunkler Pfeffer (nach Geschmack)

FÜR DIE SKILLET

- 1 Esslöffel Olivenöl
- 1 gelbe Zwiebel, gewürfelt
- 1 roter Ringerpfeffer, gewürfelt
- 3 Knoblauchzehen, gehackt
- 4 Tassen gemahlene Yamswurzel (ca. 1 riesig)
- 4 Tassen Grünkohl, angegriffene reduzierte Daunenstücke (ich habe grünen Wellenkohl verwendet)
- 1 15 Unzen Dose dunkle Bohnen, erschöpft und gespült

Richtlinien

1. Machen Sie die Geschmacksmischung: In einer kleinen Schüssel 1 TL Kreuzkümmel, 1 TL

Eintopfpulver, 1 TL Meersalz, 1/2 TL Zwiebelpulver, 1/2 TL Oregano, 1/2 TL Geruchspaprika, 1/4 TL Knoblauch zusammengeben Pulver und frisch gemahlener dunkler Pfeffer nach Geschmack. An einem sicheren Ort aufbewahren.

2. Das Olivenöl in einer großen Pfanne bei mittlerer Wärme erwärmen. Fügen Sie die gewürfelte Zwiebel hinzu und braten Sie sie ca. 3 Minuten lang an, bis sie klar ist. Fügen Sie den gewürfelten Glockenspielpfeffer hinzu und kochen Sie weitere 2 Minuten. Fügen Sie dann den gehackten Knoblauch hinzu und braten Sie ihn weitere 30 Sekunden lang an, bis er duftet. Fügen Sie die gemahlene Yamswurzel hinzu und mischen Sie sie, um sie zu konsolidieren. Verteilen Sie sie gleichmäßig auf der Pfanne. Decken Sie die Pfanne ab. Nach herum
3 Minuten lang die Yamswurzelkombination mischen und erneut abdecken, um weitere 2-3 Minuten zu kochen.

3. Fügen Sie die Schalenmischung hinzu und mischen Sie, bis sie die Yamswurzel gleichmäßig bedeckt. Fügen Sie dann den Grünkohl und die dunklen Bohnen hinzu (nicht mischen) - würzen Sie mit Salz und Pfeffer nach Geschmack. Bedecken Sie für 2-3 Minuten, um den Grünkohl zu schrumpfen, an diesem Punkt offenbaren und mischen, um den Grünkohl und die Bohnen gleichmäßig zu verbreiten.

Sofort servieren oder auf 4 Glasvorratshalter verteilen, um das Abendessen vorzubereiten und im Kühlschrank zu lagern. Essen Sie innerhalb von 4 Tagen.

3. Joghurt-Protein-Hotcakes (vegetarisch / glutenfrei)

Befestigungen

- 1/2 Tasse Mandelmehl
- 1,5 EL Kokosmehl
- 1/3 Tasse griechischer Joghurt

- 1/2 TL Vanille
- 1/4 TL Heizpulver
- 1/4 Tasse Eiweiß

Richtlinien

1. Alle Befestigungen in eine Schüssel geben und gut verquirlen.
2. Maßbild für Joghurt-Hotcakes. Nasse Befestigungen in trockene entleeren
3. Erwärmen Sie eine Antihaft-Pfanne nur geringfügig bei mittlerer Wärme. Leeren Sie den Player in die Schüssel und bedecken Sie ihn mit einem Deckel.
4. Maßbild für Joghurt-Hotcakes. Flapjacks kochen in der Schüssel
5. Kochen, bis die Basis anfängt zu bräunen (ca. sieben Minuten). Drehen Sie es um und erholen Sie sich, bis es durchgekocht ist (weitere drei Minuten).
6. Maßbild für Joghurt-Flapjacks. Flapjacks in der Pfanne umdrehen
7. Schnell fertig mit Bio-Produkt, Ahornsirup oder Nussmargarine servieren!
8. Formelnotizen

9. Hinweis: Diese Hotcakes wachsen viel auf, machen Sie sie also nicht zu groß.

10. Hinweis: Kennen Sie Ihre Pfanne! Meine enorme Antihaftbeschichtung macht sie makellos brillant und erdfarben. Durch meine Steingutpfanne werden sie möglicherweise angenehm gekocht, wenn sie offengelegt werden.

4.Getrockneter Tomaten-Spinat-EiMuffins (Gemüseliebhaber)

Befestigungen

- 10 riesige Eier
- 1 Teelöffel Meersalz
- 1/4 Teelöffel dunkler Pfeffer

- 1/3 Tasse sonnengetrocknete Tomaten aufgeschlitzt
- 3/4 Tasse Spinat gespalten
- 1/4 Tasse neues Basilikum gespalten oder chiffoniert
- 1 Tasse Parmesan-Cheddar gemahlen

Richtlinien

1. Broiler auf 400 F vorheizen.
2. Holen Sie sich eine 12-Tally-Keksdose und legen Sie sie mit Silikon-Liner aus oder verwenden Sie eine Silikon-Keks-Pfanne. Oder bedecken Sie eine normale Keksform erneut mit einer AntihaftKochdusche. An einem sicheren Ort aufbewahren.
3. In einer riesigen Rührschüssel die Eier einbrechen und mit Salz und dunklem Pfeffer verquirlen.
4. Schließen Sie alle anderen Befestigungen ein.
5. Gleichmäßig in Keksdosen füllen, die zu 2/3 gefüllt sind. Top mit extra Parmesan Cheddar. 6. Im vorgeheizten Ofen 12-15 Minuten oder bis zum Abbinden erhitzen

5. Yam Frühstücksschüssel (vegetarisch)

Befestigungen

- 2 mittlere Yamswurzeln
- 2/3 Tasse milchfreie Milch
- 2 Esslöffel gemahlener Flachs

- 1 Esslöffel Nuss- oder Samenmargarine der Entscheidung (ich habe Cashew verwendet)
- 2 Teelöffel Vanillekonzentrat
- 1 Teelöffel Zimt
- Salzfleck
- Diskretionäre Beläge: Granatapfel, Kürbiskerne, Kokosjoghurt, Kakaonibs und Müsli

Richtlinien

1. Heizen Sie Ihren Broiler auf 400F vor und befestigen Sie eine Vorbereitungsplatte mit Materialpapier oder einem Silikongewirr. Waschen Sie die Yamswurzeln, aber ziehen Sie sie nicht aus. Die Kartoffeln ein paar Mal mit einer Klinge in Stücke schneiden, an diesem Punkt auf den Teller legen und 45 bis eine Stunde lang vorbereiten oder bis ein "Karamell" aus den eingedrungenen Öffnungen zu fließen beginnt. (Hinweis: Wenn Sie große Süßkartoffeln haben, würde ich empfehlen, diese in der Mitte der Länge nach in Scheiben zu schneiden und sie mit der Schnittseite nach unten auf die Heizplatte zu legen, um die Garzeit zu verkürzen.)
2. Entfernen Sie die Yamswurzeln vom Herd und schöpfen Sie ihr Taschentuch vorsichtig in eine riesige Schüssel. Dazu gehören Milch, Flachs,

Nussaufstrich, Vanille, Zimt und Salz. Verwenden Sie einen Stabmixer, um die Kombination 60 bis 90 Sekunden lang zu "cremen", beginnend mit der minimalsten Einstellung. Andererseits können Sie alle Befestigungen in eine Küchenmaschine geben und 2 bis 3 Minuten lang mischen, bis sie dick und glatt sind.

3. In Servierschalen füllen, nach Belieben auffüllen und warm servieren. Extras bleiben bis zu 5 Tage im Kühlschrank.

6. Apfel Zimt Müsli Frühstück Leckereien (vegetarisch)

Befestigungen

- 2 ½ Tassen antiquierter Hafer (bissiger Hafer oder Combo sind auch in Ordnung)
- 1 ½ Tassen ungesüßtes Fruchtpüree

- 2 Teelöffel Zimt
- $\frac{1}{2}$ Apfel, entkernt und gewürfelt
- $\frac{1}{4}$ Tasse natürlicher Zucker, + mehr zum Bestreuen

Richtlinien

1. Zubereitung: Den Grill auf 350 Grad vorheizen. Ein Heizblech mit Material, einem Silpat oder Öl leicht mit Öl auslegen.
2. Mischung: In einer mittelgroßen Rührschüssel Hafer, Fruchtpüree und Zimt mischen. Zum Mischen gut mischen. Stellen Sie den Apfel auf und lassen Sie die Mischung einige Momente ruhen. Fügen Sie den Apfel hinzu und mischen Sie noch einmal.
3. Schaufel: Schöpfen Sie mit einem EsslöffelMessgerät ausgewogene Hügel der Kombination aus, und legen Sie Wert darauf, sie zärtlich mit den Fingern zu verpacken. Legen Sie sie auf ein LeckerliBlatt. Wenn diese nicht in Ordnung sind, können sie sich im Allgemeinen selbst zerstören. Den höchsten Punkt jeder Leckerei mit Zucker bestreuen. Dieser letzte Vorschuss liegt im Ermessen.
4. Erhitzen: Legen Sie das Behandlungsblatt in den Ofen auf das mittlere Gestell und bereiten Sie es für 17 - 20 Minuten vor.

5. Lassen Sie ein paar Momente abkühlen und schätzen!
6. Macht etwa 16 - 18 Leckereien.
7. Aufbewahrung: Halten Sie zusätzliche Leckereien abgedeckt 3 - 4 Tage lang auf der Theke.

7. Karotten-Zucchini-Muffins (Gemüseliebhaber)

Befestigungen

- ½ Tasse vegetarische Margarine
- ½ Tasse ungesüßtes Fruchtpüree
- 1 Tasse unverfälschter Süßstoff

- ½ Tasse Kokosnusszucker
- 1 EL Vanillekonzentrat
- ¼ Tasse Flachsfest
- ¼ Tasse Mandelmilch
- 2 Tassen universell handlich ohne Glutenmehl
- 1 Tasse Mandelmehl
- 1½ TL Zimt
- ½ TL gemahlener Ingwer
- ¾ TL Heizung Pop
- ¾ TL Heizpulver
- ½ TL Verdickungsmittel (kein zwingender Grund zum Hinzufügen, wenn die lokal erworbene Mehlmischung sie ab sofort enthält)
- ½ TL echtes Salz
- 1 Tasse gespaltene Pekannüsse
- 1 Tasse zerstörte Karotten
- 1 Tasse zerstörte Zucchini
- ½ Tasse brillante Rosinen

Richtlinien

1. Den Broiler auf 335 ° F vorheizen. In einem elektrischen Hand- oder Standmixer Margarine,

Fruchtpüree, reinen Süßstoff, Kokosnusszucker und Vanillekonzentrat cremig rühren, bis sie leicht und federleicht sind.

2. Flachsfest und Mandelmilch untermischen. In einer anderen Rührschüssel das ohne Glutenmehl, Mandelmehl, Zimt, Ingwer, Pop, Heizpulver, Verdickungsmittel (falls verwendet) und Salz konsolidieren. Die Mehlmischung mit dem Rahmaufstrich und dem Zucker in die Schüssel geben, $\frac{1}{2}$ Tasse gleichzeitig, gleichmäßig mischen, bis alles rundum verbunden ist.
3. Pekannüsse, Karotten, Zucchini und Rosinen vorsichtig untermischen. Lassen Sie die Kombination 15-20 Minuten einwirken.
4. Einen Keksbehälter mit Papiereinlagen auslegen, bis zum Rand mit Player füllen und zart glatt streichen. 30-33 Minuten erhitzen, bis alles fest ist.

8.Chicken Linsen Frühstück Bratpfanne

Befestigungen

- Checkliste reparieren
- 7 - 8 Tassen Hühnerknochenbrühe

- ⅔ Tasse Perlen Farro
- ½ Tasse getrocknete französische Linsen
- 1 ½ Tassen grob aufgeschlitzte Fenchelknolle (1 Medium)
- 3 Karotten, längs geteilt und geschnitten
- 2 kleine Lauch, verwaltet und geschnitten
- 1 Esslöffel Olivenöl
- 2 Tassen zerstörtes gekochtes Huhn
- 3 Esslöffel schneiden neue Petersilie
- 3 Esslöffel schneiden neue Fenchelwedel (nach Belieben)
- 2 Knoblauchzehen, gehackt
- ½ Teelöffel Salz
- ½ Teelöffel dunkler Pfeffer
- Zitronenschnitte (nach Belieben)

Richtlinien

Bühne 1

Tragen Sie Hühnerknochenbrühe in einem riesigen Topf zum Sprudeln. Farro und Linsen hinzufügen. Wiederholung des Sprudelns; Hitze verringern. 25 bis 30 Minuten dünsten oder bis sie empfindlich sind.

Stufe 2

In der Zwischenzeit in einer riesigen Pfanne Fenchel, Karotten und Lauch in heißem Öl bei mittlerer Wärme etwa 5 Minuten lang oder bis sie weich sind kochen. Mischen Sie in einer Schüssel Petersilie, Fenchelwedel (falls verwendet) und Knoblauch.

Stufe 3

Sautiertes Gemüse, Hühnchen, Salz und Pfeffer in den Topf geben - kochen und mischen, bis es warm ist. Wann immer gewünscht, treiben Sie einen Zitronenschnitt in jede Schüssel - Top-Portionen mit Petersilienkombination.

9.Zucchini Brot Leckereien (vegetarisch / ohne Gluten)

Befestigungen

- 1 EL Flachsfest + 3 EL warmes Wasser, um ein Flachs-Ei zu rahmen
- 1 riesige fertige Banane, zerkleinert

- 2 EL ungesüßtes Fruchtpüree
- 1 TL Vanillekonzentrat
- 1/2 Tasse antiquierter Haferflocken
- 1/2 Tasse Hafermehl
- 1 TL Zimt
- 1 TL Heizknall
- 1/2 TL Salz
- 1 mittelgroße Zucchini
- 1/3 Tasse Pekannüsse aufgeschlitzt
- 1/3 Tasse Schokoladenstückchen

Richtlinien

1. Den Broiler auf 350F vorheizen. Ein Vorbereitungsblatt mit Materialpapier auslegen.
2. Das Flachsfest und das Wasser in einer kleinen Schüssel verquirlen, um ein Flachs-Ei zu formen. 35 Minuten ruhen lassen, um eine eggy Oberfläche zu gelatinieren.
3. Kürbisbanane in eine Rührschüssel geben. Fügen Sie das Flachsei, das Fruchtpüree und das Vanillekonzentrat hinzu. Zum Konsolidieren mischen.
4. Hafer, Hafermehl, Zimt, Erhitzungspop und Salz hinzufügen. Mischen, bis alles rundum verbunden ist.

5. Zucchini mit einer Reibe oder Küchenmaschine mit einer zerstörenden Schneide zerkleinern. Umschließen Sie die zerstörte Zucchini mit einem makellosen Trockentuch und drücken Sie so viel Wasser wie möglich heraus.

6. Die Zucchini vorsichtig untermischen, dann die Pekannüsse und die Schokoladenstückchen darüber legen.

7. Segmentieren Sie etwa 2 EL Hitter, um jeden Leckerbissen einzurahmen, und platzieren Sie ihn auf dem vorbereiteten Heizblatt. Sie sollten 12 Leckereien haben. Drücken Sie vorsichtig auf jeden Leckerbissen, um ein bisschen zu glätten.

8. Bereiten Sie es für 10-12 Minuten vor, bis die Unterseite der Behandlung anfängt zu bräunen.

9. Lassen Sie es ein paar Momente abkühlen, bevor Sie zu einem Kühlregal wechseln, und schätzen Sie es!

10. Truthahnpilz-Ei-Muffins

Befestigungen

- 2 Unzen gemahlener Truthahn Wiener
- $\frac{1}{2}$ Teelöffel Olivenöl
- ⅓ Tasse geschnittene Säuglings-Bella-Pilze

- Vier riesige Eier
- Drei Esslöffel fettfreie Milch
- ¼ Teelöffel gemahlener Pfeffer
- ¼ Tasse fein zerstörter Cheddar

Richtlinien

1. Den Broiler auf 350 ° vorheizen. Beschichten Sie 4 Tassen einer Keksdose mit einer Kochdusche und stellen Sie sicher, dass jede Tasse vollständig bedeckt ist.
2. In einer kleinen Bratpfanne den Hotdog bei mittlerer bis hoher Wärme kochen, bis er zerfällt und etwa 7-8 Minuten lang gekocht ist. Entfernen Sie die Verbindung vom Behälter und stellen Sie sie auf einen Teller, der mit einem Papiertuch befestigt ist.
3. Bringen Sie das Gericht wieder in die Wärme. Olivenöl und Pilze hinzufügen. Die Pilze 1-2 Minuten anbraten, bis sie etwas zart sind. Fügen Sie Pilze zum Hotdog hinzu.
4. In einer kleinen Schüssel Eier, Milch und gemahlenen Pfeffer verquirlen.
5. Gap Hotdog-Mischung zwischen den vier Keksbechern. Gießen Sie die Eimischung über das Wiener Würstchen und die Pilze. Je nach Größe

Ihrer Keksbecher haben Sie möglicherweise etwas mehr zu tun.

6. Gap Cheddar gleichmäßig zwischen den Keksbechern verteilen und über den höchsten Punkt von jedem streuen.

7. 25 Minuten kochen lassen oder bis sich der Keks fest anfühlt. Vom Herd nehmen und vor dem Servieren etwas abkühlen lassen.

11. Taco Guacamole Frühstücksbratpfanne

Befestigungen

- 6 Maistortillas *
- ½ Pfund mexikanische Chorizo *
- 4 Eier

- 1 EL. Sahne / halb und halb / Milch (jeder von ihnen funktioniert)
- Salz laufen
- ½ Tasse gemahlener Cheddar
- rote Chilisauce *
- ¼ gewürfelte rohe Zwiebel
- Guacamole
- 1 Avocado
- 1/4 TL. Green Chile Spice Mix *
- 2 TL. gehackte Zwiebel
- 1 kleine Keilkalk (~ 1/8 einer Limette)

Richtungen

1. Wenn Sie die Maistortillas nicht zubereiten, machen Sie sie zuerst. 30 Minuten einplanen. Halten Sie Tortillas in einer heißeren Tortilla warm. Wenn Sie nicht die Möglichkeit haben, lokal erworbene Tortillas zu verwenden, legen Sie sie mit einem etwas feuchten Papiertuch in eine unverschlossene Plastikverpackung. Mikrowelle für 30 Sekunden in der Höhe. Gehen Sie zu einer heißeren Tortilla oder bewahren Sie sie in einer Packung auf, bis Sie sie verwenden können. Versuchen Sie, die Packung nicht zu verschließen.

2. Die rote Chilisauce erwärmen und warm halten.
3. Machen Sie die Guacamole
4. Die Avocado in einer Schüssel zerdrücken. (Ich benutze eine Gabel.)
5. Fügen Sie den Geschmack und die Zwiebel von Green Chile hinzu. Den Saft vom Limettenkeil über die Befestigungen drücken. Zum Mitmachen mischen. Nach Salz schmecken und bei Bedarf wechseln.
6. Kühlen Sie, bis Sie bereit sind, Tacos zu sammeln.
7. Ei-Chorizo-Füllung
8. Die Chorizo in einer mittelgroßen Pfanne zersetzen und bei mittlerer Wärme kochen, bis sie gekocht und noch feucht ist.
9. Während die Chorizo kocht, Eier, Sahne und Salz verquirlen. Wenn die Chorizo zubereitet ist, leeren Sie die Eier in die Pfanne, bewegen Sie die Mischung mit einem Spatel und legen Sie sie in die Chorizo.
10. An dem Punkt, an dem die Eier fast gar sind, den Cheddar darüber legen. Aus der Wärme entfernen und warm halten.
11. Sammeln Sie einen Taco, indem Sie eine Kugel Ei / Chorizo / Cheddar-Kombination auf den Brennpunkt einer Tortilla legen. Top und 1 - 2 EL:

roter Chili, eine Information über Guacamole und das ideale Maß für gehackte Zwiebeln.

12.Zubereiteter Hafer (vegetarisch)

Vorbereitung

- 2 Tassen antiquierter Hafer
- 1 Teelöffel Zimt
- 1 Teelöffel Heizpulver
- $\frac{1}{4}$ Teelöffel Salz
- 2 überreife Bananen
- 1 $\frac{1}{2}$ Tassen Mandelmilch
- $\frac{1}{4}$ Tasse samtig-nussiger Aufstrich
- 2 Esslöffel Ahornsirup
- 1 Esslöffel gemahlener Leinsamen
- 1 Teelöffel Vanillekonzentrat

Richtlinien:

1. Den Broiler auf 375 ° F vorheizen. In einer 8 × 11Zoll-Zubereitungsschale Hafer, Zimt, Heizpulver und Salz konsolidieren.
2. In einer riesigen Rührschüssel die Bananen zerdrücken, Mandelmilch, Nussaufstrich, Ahornsirup, Leinsamen und Vanillekonzentrat hinzufügen. Lassen Sie die Mischung 5 Minuten für das Abbinden des Leinsamens einwirken.

3. Gießen Sie die feuchten Befestigungen über die Haferkombination und mischen Sie sie, um sie zu verfestigen.
4. Im vorgeheizten Ofen sichtbar machen, bis der höchste Punkt des Getreides brillant ist und die Mischung etwa 30-35 Minuten lang eingestellt ist. Beseitigen und 5 Minuten abkühlen lassen.
5. Präsentiert mit bestreutem nussigem Aufstrich und Bananenschnitten, wann immer gewünscht.

13.Türkische Wurst-Ei-Muffins

Vorbereitung:

- 12 Truthahnfrühstück Frankfurter Verpackung beseitigt
- 6 Eier
- 1 Tasse Eiweiß
- 6 gefrorene Formen von Spinat aufgetaut und reichlich Wasser abgereichert (oder 1/2 Tasse gekochter und gespaltener Neugeborenen-Spinat)
- 1 Teelöffel. Zwiebelpulver
- 2 TL. scharfe Soße
- 1/4 TL. jedes Salz und Pfeffer

Richtlinien / Gewusst wie:

1. Heizen Sie den Broiler auf 375 Grad vor.
2. Entfernen Sie die Verpackung von den Putenwiener Würstchen. Wenn die Verpackung entfernt wurde, kochen Sie das Wiener Würstchen in einer Bratpfanne bei mittlerer bis hoher Wärme etwa 5 Minuten lang oder bis es leicht sautiert ist, und trennen Sie es mit einem Löffel, bis es sich in reduzierte Daunenstücke verwandelt.

3. Als nächstes rühren Sie die Eier, Eiweiß, Spinat, Zwiebelpulver, scharfe Sauce, Salz und Pfeffer in einer mittelgroßen Schüssel, bis sie zusammengefügt sind.

4. Eine Keksdose einölen oder zwölf SilikonHeizbecher verwenden (dringend empfohlen). Die Eimischung zwischen zwölf Keksbechern verteilen.

5. Als nächstes verteilen Sie in ähnlicher Weise den Truthahn-Hotdog unter der Eikombination in den zwölf Tassen. Möglicherweise möchten Sie es geringfügig zusammendrücken, damit einige Wiener Würstchen in jeder Tasse in Richtung des unteren Teils der Eikombination vorrücken.

6. Spot in den Broiler und bereiten Sie für 30-35 Minuten oder bis das Ei durchgekocht ist und nicht, zu diesem Zeitpunkt flüssig.

14. Lachs-Cobb-Salat (keine sonnengetrockneten Speck-Tomaten)

Befestigungen:

- Lachs
- 4 (3 bis 4 Unzen) Lachsfilets
- STAR Original Olivenöl
- 1 Knoblauchzehe, gehackt
- Salz und neu gemahlener Pfeffer nach Geschmack
- Servieren von gemischtem Grün
- 4 Tassen Säuglingsspinat
- 4 Tassen zerrissener Römersalat
- 2 riesige Eier mit harten Blasen, in Schnitte geschnitten
- 4 Stücke Truthahnspeck, auf die ideale Frische gekocht und aufgelöst
- 2 Tassen Kirschtomaten, geteilt
- 1/2 Tasse zerfällt ohne Fett Feta Cheddar
- 1 Avocado, in Stücke geschnitten
- 1 Zitrone, in Stücke geschnitten

Dressing

- 1/4 Tasse STAR Natives Olivenöl Extra • 2 EL. STAR Rotweinessig
- 1 EL. Zitronensaft oder nach Geschmack
- 1 Teelöffel. Worcestersauce

- 1 Teelöffel. dijon Senf
- 1 Knoblauchzehe, gehackt
- Salz und neu gemahlener Pfeffer nach Geschmack

RICHTLINIEN

1. Den Grill auf 425F vorheizen und einen Kochbehälter oder ein Heizblech mit Folie auslegen. Streuen Sie etwas Öl über den höchsten Punkt jedes Lachses, kaum um den Lachs zu bedecken.
2. Lachs, Salz und Pfeffer darüber streuen und den gehackten Knoblauch ins Rampenlicht rücken. Erkennen Sie den Lachs ab dem späten Masterminded-Fach mit der Haut nach unten. Gehe zum Ofen. Kochen Sie bis 15 bis 18 Minuten oder bis der Lachs mit einer Gabel erfolgreich abfällt.
3. Vom Broiler entfernen und an einem sicheren Ort aufbewahren. In der Zwischenzeit das Servieren von gemischtem Grün einrichten. Mastermind Kinderspinat und Salat in einer riesigen Portion gemischter grüner Schüssel. Top mit arrangiertem Lachs, Eiern, zerfallenem Speck, Tomaten, Feta und Avocado. An einem sicheren Ort aufbewahren.
4. In einer kleinen Rührschüssel oder einem Behälter mit Deckel zusätzliches natives Olivenöl, Rotweinessig, Zitronensaft, Worcestershire-

Sauce, Senf, gehackten Knoblauch, Salz und Pfeffer hinzufügen. Geschwindigkeit bis insgesamt konsolidiert. Wenn Sie einen Behälter verwenden, schließen Sie ihn mit einem Deckel und schütteln Sie den Behälter, bis er rundum fest ist.

5. Gießen Sie Dressing über den Teller mit gemischtem Grün, verschönern Sie es mit Zitronenschnitten und servieren Sie es.

6. Gesengte Garnelen marinierte Collard Greens.

7. Dieses Gericht ist schnell, schön, nahrhaft und schmackhaft. Es ist ideal für den Sommer.

15. Angebratene Garnelen marinierte Collard Greens

BEFESTIGUNGEN

- 1 Pfund riesige Garnelen abgestreift und entdarmt
- 1 Esslöffel Olivenöl
- 1 Esslöffel Zitronensaft
- Zwei Knoblauchzehen fein gespalten
- $\frac{1}{2}$ Teelöffel Paprika
- $\frac{1}{4}$ Teelöffel Salz
- $\frac{1}{4}$ Teelöffel dunkler Pfeffer
- 1 Tasse Collard Greens Pesto (siehe Formel unten)
- 1 Packung Tomaten auf die Pflanze
- 8 Unzen Fettuccine oder andere lange Nudeln gekocht und abgereichert (sparen Sie einen Teil des Nudelwassers)
- US-üblich - metrisch

Richtungen

1. Die Garnelen in einer Schüssel mit Olivenöl, Zitronensaft, Knoblauch, Paprika, Salz und Pfeffer marinieren.
2. Erwärmen Sie einen Grill oder eine Flammenbratform bei mittlerer bis hoher Wärme und spritzen Sie mit der Kochdusche. Die Garnelen

auf jeder Seite 2-3 Minuten grillen, bis sie trübe sind. Von der Hitze entfernen. Fügen Sie die

Tomaten zum Flammengrill hinzu und kochen Sie einige Momente, wobei Sie sich selten drehen, bis sie leicht verbrannt und weich sind.

3. Werfen Sie die gekochten Fettuccini mit etwa 1 Tasse des Collard Greens Pesto. Eine Portion des gespeicherten Nudelwassers untermischen, bis die Sauce die Nudeln bedeckt. Bewahren Sie das überschüssige Pesto für eine andere Verwendung auf. Die flammengebratenen Garnelen und Tomaten auf die Nudeln legen und servieren

16.Eiersalat Salat Wraps Brezel Wrap.

Befestigungen

- $\frac{1}{4}$ Tasse fettfreier griechischer Joghurt
- 1 Esslöffel Mayonnaise
- $\frac{1}{2}$ Teelöffel Dijon-Senf

- 1 Prise Salz drücken
- 1 gemahlenen Pfeffer nach Geschmack auspressen
- Jeweils 3 Eier mit harten Blasen, abgestreift
- 2 Stängel Sellerie, gehackt
- 2 Esslöffel gehackte rote Zwiebel
- 2 Blätter 2 oder 3 riesige Stücke Eissalatblätter
- 1 Esslöffel neues Basilikum aufgeschlitzt
- Jeweils 2 Karotten, abgestreift und in Stangen geschnitten

Richtungen

Bühne 1

Joghurt, Mayonnaise, Senf, Salz und Pfeffer in einer mittelgroßen Schüssel verquirlen. Ein Eigelb entsorgen. Hacke die übrig gebliebenen Eier und lege sie in die Schüssel. Fügen Sie Sellerie und Zwiebel hinzu und mischen Sie, um zu konsolidieren. Schneiden Sie die Salatblätter in der Mitte ab und schichten Sie sie zweifach, um 2 Salatwickel zu erhalten. Die Eierplatte mit gemischtem Grün zwischen den Wraps trennen und mit Basilikum belegen. Nachträglich mit Karottenstäbchen präsentieren.

17. Die Hühnerportion von gemischtem Grün auf grünem Weizen nimmt ab (kein Mayo subgriechischer Joghurt)

Befestigungen

- 3 Tassen gekochte Hähnchenbrust ohne Knochen und ohne Haut (etwa 1 $\frac{1}{4}$ Pfund oder 3 kleine / mittlere Brüste), in $\frac{1}{2}$-Zoll-Würfel geschnitten
- 2 Tassen kernlose rote Trauben geteilt
- 3 mittelgroße Stangen Sellerie gewürfelt (unzureichende 1 $\frac{1}{2}$ Tassen)
- 2 riesige Frühlingszwiebeln oder 3 kleine / mittelgroße Frühlingszwiebeln, dürftig geschnitten (ca. $\frac{1}{4}$ Tasse)
- $\frac{1}{2}$ Tasse geschnittene Mandeln oder fragmentierte Mandeln, geröstet
- 1 Tasse fettfreier griechischer Joghurt
- 2 Esslöffel fettfreie Milch
- 2 Teelöffel Nektar
- 1 Teelöffel legitimes Salz zusätzlich zu extra nach Geschmack
- $\frac{1}{2}$ Teelöffel dunkler Pfeffer zusätzlich zu extra nach Geschmack
- 2 Esslöffel hackten neuen Dill
- Servierempfehlungen: Vollkornbrotcroissants, Salatblätter, Saltine

Richtungen

1. Entdecken Sie das gewürfelte Huhn, die Trauben, den Sellerie, die Frühlingszwiebeln und die Mandeln in einer großen Schüssel.
   In einer anderen Schüssel den griechischen Joghurt, die Milch, den Nektar, das Salz und den Pfeffer verquirlen. Über die Hühnermischung gießen und zudecken. Probieren Sie und fügen Sie nach Belieben zusätzliches Salz und Pfeffer hinzu. Wenn es die Zeit erlaubt, kühlen Sie für 2 Stunden oder über Nacht.

2. Nach dem Servieren mit neuem Dill bestreuen. Füllen Sie es als Füllung für Sandwiches, auf einen Teller mit gemischtem Grün, als Sprung mit Salz oder füllen Sie es einfach direkt aus der Schüssel.

18.Bar-b-que Hühnchen-Reisschüssel

Befestigungen

- 1/3 Tasse (80 ml) Sojasauce
- 1/3 Tasse (80 ml) neuer Zitronensaft
- 1 Esslöffel hell erdfarbener Zucker

- 4 cm großer Ingwer, abgestreift, fein gemahlen (ca. 2 Teelöffel)
- 1 Teelöffel Sesamöl
- 4 Coles Australian RSPCA Approved Chicken Thigh Filets (ca. 550 g), verwaltet
- 1 Esslöffel Pflanzenöl
- 3 Tassen frisch gekochter mittelkörniger erdfarbener Reis
- 2 kleine Avocados, abgestreift, gespalten, entkernt, dürftig geschnitten
- 2 libanesische Gurken, gehackt
- 200 g Perino-Tomaten, gespalten
- 2 Frühlingszwiebeln, fein geschnitten
- 1/2 Tasse neue Korianderblätter

Richtungen

Bühne 1

In einer kleinen Schüssel Sojasauce, Zitronensaft, Zucker, Ingwer und Sesamöl verquirlen, bis der Zucker abgebaut ist. In einer verschließbaren Plastikverpackung Hühnchen, Pflanzenöl und 1 EL Soja-Dressing konsolidieren. Drehen Sie das Huhn in einer Packung, um es zu bedecken. In jedem Fall 15 Minuten und bis zu 1

Tag im Kühlschrank marinieren. Restliches Sojadressing im Kühlschrank aufbewahren.

Stufe 2

Stellen Sie einen Grill für mittlere bis hohe Wärme auf. Hühnchen aus der Marinade entfernen. Das Hähnchen auf jeder Seite 5-6 Minuten grillen oder bis es gar ist. 5 Minuten ruhen lassen. Schneiden Sie das Huhn.

Stufe 3

Trennungsreis zwischen 4 Gerichten. Top mit Huhn, Avocado, Gurke und Tomate. Das restliche Sojadressing über das Huhn und das Gemüse geben. Mit Frühlingszwiebeln und Korianderblättern bestreuen.

19.Chinesischer Hühnersalat

Befestigungen

ASIATISCHES DRESSING

- 2 EL leichte Sojasauce (Anmerkung 1)
- 3 EL Reisessig (auch bekannt als Reisweinessig oder verwenden Sie Saftessig)

- EL Sesamöl (geröstet)
- 2 EL Traubenkernöl (oder Raps oder anderes unparteiisches Gewürzöl)
- 1 TL Zucker
- 1/2 TL neuer Ingwer, gemahlen oder fein gespalten
- 1 Knoblauchzehe, gehackt
- 1/2 TL dunkler Pfeffer
- Teller mit gemischtem Grün
- 4 Tassen Chinakohl (Nappakohl), fein abgerissen (Anmerkung 2)
- 1/2 Tassen Rotkohl, fein ausgelöscht
- 1 Tasse Karotte, fein julienned (siehe Video)
- 2 Tassen Huhn, vernichtet
- 1/2 Tasse Schalotten / Frühlingszwiebeln, auf der Schräge fein schneiden
- Verzierungen
- / 2 oder 1 Tasse knusprige Nudeln (ich benutze Chang's) (Anmerkung 3)
- 1 - 2 TL Sesam

Richtungen

1. Das Dressing in einem Behälter festigen und schütteln. Etwa 10 Minuten an einem sicheren Ort aufbewahren, damit die Aromen verschmelzen.
2. Stellen Sie den Teller mit den gemischten grünen Zutaten zusammen in eine große Schüssel neben einen großen Teil der knusprigen Nudeln. Über das Dressing streuen, dann werfen. (Anmerkung 4)
3. Trennung zwischen Servierschalen. Top mit knusprigeren Nudeln und einer ordentlichen Prise Sesam. Sofort servieren!

20. Lachs tocos gekochte Rosenkohl

Befestigungen

- Jeweils 14 riesige Knoblauchzehen, aufgeteilt
- $\frac{1}{4}$ Tasse natives Olivenöl extra
- 2 Esslöffel fein gehackter neuer Oregano, partitioniert

- 1 Teelöffel Salz, getrennt
- $\frac{3}{4}$ Teelöffel frisch gemahlener Pfeffer, getrennt
- 6 Tassen Brüssel wächst, verwaltet und geschnitten
- $\frac{3}{4}$ Tasse Weißwein, idealerweise Chardonnay
- 2 Pfund wildes Lachsfilet, gereinigt, in 6 Segmente geschnitten
- 1 Zitronenschnitze

Richtungen

Bühne 1

Ofen auf 450 Grad vorheizen.

Stufe 2

2 Knoblauchzehen fein hacken und in einer kleinen Schüssel mit Öl, 1 Esslöffel Oregano, 1/2 Teelöffel Salz mit 1/4 Teelöffel Pfeffer festigen. Den übrig gebliebenen Knoblauch teilen und mit Brüsseler Jungvögeln und 3 Esslöffeln des vorbereiteten Öls in eine riesige Bratform geben. 15 Minuten braten, einmal mischen.

Stufe 3

Fügen Sie der übrig gebliebenen Ölkombination Wein hinzu. Entfernen Sie die Pfanne vom Grill, mischen Sie das Gemüse und legen Sie den Lachs darauf. Mit der Weinmischung duschen. Mit dem restlichen 1 Esslöffel

Oregano und 1/2 Teelöffel Salz und Pfeffer bestreuen. Bereiten Sie vor, bis der Lachs einfach durchgekocht ist, weitere 5 bis 10 Minuten. Mit Zitronenschnitzen präsentieren.

21.Mexikanischer Kichererbsensalat

ZUTATEN

- 2 EL Pflanzen- oder Olivenöl
- 1 EL Limetten- oder Zitronensaft
- 1 TL Kreuzkümmel
- 1/4 TL Chilipulver

- 1/4 TL Salz
- 19 Unzen können Kichererbsen, gewaschen und erschöpft
- 1 riesige Tomate, gewürfelt
- 3 ganze Frühlingszwiebeln, geschnitten oder 1/3 Tasse gewürfelte rote Zwiebel
- 1/4 Tasse fein gespaltener Koriander (neuer Koriander)
- 1 Avocado, gewürfelt (nach Belieben)

Richtungen

1. In einer Schüssel Öl, Zitronensaft, Kreuzkümmel, Bohneneintopfpulver und Salz verquirlen.
2. Fügen Sie Kichererbsen, Tomaten, Zwiebeln, Koriander hinzu und werfen Sie, bis verbunden.
3. Wenn Sie Avocado verwenden, fügen Sie diese kurz vor dem Servieren hinzu. wird bis zu 2 Tage gekühlt.

22. Geräucherter Hühnchen-Moracin-Eintopf

Zutaten

- 1 Pfund geräuchertes geräuchertes Huhn
- 1/2 weiße Zwiebel (in Scheiben geschnitten)
- 1/2 grüne Paprika (in Scheiben geschnitten)
- 5 Knoblauchzehen (geschnitten)

- 1 Sack gefrorenes Gemüsegemisch (falls Sie kein neues haben)
- 1 Jalapeno (geschnitten)
- 1 EL Kreuzkümmel
- 1 TL flüssiger Rauch
- 1/2 3D Form Knorr Hühnerbrühe
- 1/4 TL Cayennepfeffer
- 1/2 TL mattes Eintopfpulver
- 3 und 1/4 Tassen warmes Wasser (diskret)
- 2 TL Maisstärke
- 2 EL Kokosöl

Richtungen

1. Füge Öl in die Pfanne (ich habe wie üblich Gusseisen verwendet, lol) und erhitze. Fügen Sie Paprika und Zwiebeln hinzu und braten Sie sie nur vier Minuten lang an.
2. Knoblauch mit Jalapeno hinzufügen und weitere 2 Minuten anbraten.
3. Fügen Sie gemischtes Gemüse hinzu.
4. Fügen Sie die 3 Tassen Wasser und jeden Ihrer Aromen hinzu.

5. Zum Blasen bringen, an diesem Punkt die Wärme senken, um zu schmoren und zu kochen, bis die Flüssigkeit erheblich abnimmt.

6. Maisstärke mit 1/4 Tasse Wasser einrühren und in die Pfanne mischen. Lassen Sie es noch ein paar Minuten kochen oder bis die Brühe eingedickt ist.

7. Fügen Sie Huhn am Ende hinzu und mischen Sie. Ich habe meine über Kastanienkartoffeln serviert!

23.Barbecued Chicken Quinoa Bowl

Befestigungen

Für das Huhn:

- 1 6-Unzen-Hühnerbrust ohne Haut und ohne Knochen

- 1/4 Tasse + 2 Esslöffel Olivenöl
- 1 Zitrone gepresst und geschält
- 2 Knoblauchzehen gepresst oder gehackt
- 2 Teelöffel getrockneter Oregano
- 1/2 Teelöffel legitimes Salz
- 1/4 Teelöffel frisch gemahlener dunkler Pfeffer
- 1 Tasse leicht gerösteter Brokkoli und Feta
- 1/2 Tasse Easy Roasted Tomatoes Für die

Quinoa:

- 1 Tasse getrocknete Quinoa
- 1 Teelöffel legitimes Salz
- Zerfallener Feta-Cheddar

Richtungen

1. Schneiden Sie den Hühnchenbusen in 1-Zoll-Stücke und geben Sie ihn in eine Gallonen-Kühlerpackung. Quetschen und Zingen, Knoblauch, Oregano und Salz und Pfeffer, zu diesem Zeitpunkt in den Sack geben, versiegeln und auf jeden Fall 30 Minuten marinieren, um die Arbeit zu beschleunigen.
2. Die restlichen 2 Esslöffel Olivenöl in einer Antihaft-Pfanne bei mittlerer bis hoher Wärme

erwärmen. Fügen Sie das Huhn der Pfanne hinzu und kochen Sie es, bis es von allen Seiten karmeliert und etwa 10-12 Minuten lang gekocht ist.

3. Verringern Sie die Wärme auf mittel und geben Sie den Brokkoli und die Tomaten bei Bedarf mit mehr Olivenöl in die Pfanne und erwärmen Sie sie durch.

4. In der Zwischenzeit die Quinoa kochen. Spülen Sie es zuerst in einem Feinnetz-Sichter unter Viruswasser. Erhitzen Sie eine Pfanne Wasser bis zum Kochen bei hoher Wärme und fügen Sie dann 1 Teelöffel legitimes Salz und die Quinoa hinzu. Blasen Sie es wie Nudeln, bis es noch etwas fest ist, und mischen Sie es im Übrigen etwa 8 bis 10 Minuten lang. Kanalisieren, mit einer Gabel aufhellen und die Quinoa wieder in den Topf geben, mit einem Küchentuch abdecken, an dieser Stelle eine Oberseite und 5-10 Minuten ruhen lassen.

5. Um das Geschirr zu sammeln, verteilen Sie die Quinoa zwischen den Schalen und geben Sie jeweils die Hälfte der Hühnchen-Gemüse-Kombination darauf. Mit mehr legitimem Salz und frisch gemahlenem dunklem Pfeffer abschmecken und nach Belieben mit mehr Olivenöl bestreuen. Mit Feta Cheddar bestreuen zerfallen und servieren.

24.Chicken Cobb Salat

Zutaten

- 4 große Eier, Raumtemperatur
- 4 Unzen. Speck (ca. 4 Scheiben)
- 2 EL. Sherryessig oder Rotweinessig
- 1 EL. dijon Senf
- 1 Teelöffel. Zucker

- $\frac{1}{4}$ Tasse natives Olivenöl extra
- Koscheres Salz, frisch gemahlener Pfeffer
- 8 Tassen grob zerrissenes Frisée
- $\frac{1}{2}$ Rotisserie Huhn, Fleisch aus den Knochen gezogen und zerstört (ca. 2 Tassen)
- 2 große Beefsteak- und Erbstücktomaten, in Keile geschnitten
- 1 reife Avocado, geviertelte Anweisung

Bühne 1

In einer riesigen Pfanne 8 Tassen Wasser bis zum Kochen erhitzen. Die Eier vorsichtig ins Wasser senken und 7 Minuten lang sprudeln lassen, um mittelgroßes Eigelb zu erhalten. Bewegen Sie die Eier schnell in eine mittelgroße Schüssel mit Eiswasser und kühlen Sie sie ca. 5 Minuten lang ab, bis sie abgekühlt sind. Eier unter fließendem Wasser abstreifen; an einem sicheren Ort aufbewahren.

Stufe 2

Speck in einer trockenen, mittelgroßen Pfanne ausfindig machen und bei mittlerer bis niedriger Wärme einstellen. Hin und wieder 8-10 Minuten kochen lassen, bis sie erdig und frisch sind. Gehen Sie zu Papiertüchern und lassen Sie den Kanal.

Stufe 3

Fügen Sie Essig, Senf, Zucker und 1 EL hinzu. Wasser, um Fett in Pfanne und Geschwindigkeit zu liefern, bis es glatt und emulgiert ist. Schritt für Schritt in Öl strömen und unaufhörlich rasen, bis sich ein dicker Verband bildet; mit Salz und Pfeffer würzen.

Stufe 4

Frisée auf einer riesigen Platte organisieren und mit Salz und Pfeffer würzen. Etwa einen Teil des warmen Dressings darüber streuen. Schneiden Sie die Eier in der Mitte ab und machen Sie Mastermind über Frisée und zerstörten Hühnchen, Tomatenschnitzen, Avocado und Speck (separater Speck, wann immer gewünscht).

25.Stew Limettengarnelen-Couscous-Teller mit gemischtem Grün

Befestigungen

Garnele

- 1 Teelöffel gemahlener Limetten-Zing
- 1/4 Tasse neuer Limettensaft

- 3 Esslöffel natives Olivenöl extra
- 2 Esslöffel natriumarme Sojasauce
- 1 Jalapeno Chili, kultiviert und gehackt
- 2 Esslöffel gehackte Korianderblätter
- 1 Esslöffel gehackter Knoblauch
- 1 Esslöffel Zucker
- 1 Teelöffel Bohneneintopfpulver
- 1/4 Teelöffel Cayennepfeffer
- 1/2 Pfund mittelgroße Garnelen in der Schale
- Couscous
- 2 Tassen israelischer Couscous
- 1 Mango
- 1 mittelgroße Zucchini
- Pflanzenöl zum Bürsten
- 2 1/2 Tassen Hühnerbrühe, ideal handgefertigt oder natriumarm, lokal erworben
- 1/2 bis 1 Teelöffel Salz nach Geschmack
- 1 Esslöffel ungesalzene Margarine
- 2 Esslöffel geschnittene Petersilieblätter

Orientierungshilfe

1. Garnelen marinieren: In einer mittelgroßen Schüssel Limettenschale, Saft, Olivenöl, Soja, Jalapeno, Koriander, Knoblauch, Zucker, Bohneneintopfpulver und Cayennepfeffer mischen. Die Garnelen abstreifen, auf den Schwänzen belassen und entdünnen.
2. Spülen und anschließend mit Papiertüchern vollständig trocken tupfen. Legen Sie die Garnelen in einen riesigen Reißverschlusssack, gießen Sie die Marinade darüber, schließen Sie die Packung, drücken Sie die Luft heraus und reiben Sie die Marinade in die Garnelen. 20 Minuten im Kühlschrank lagern.
3. Heizen Sie einen Grill auf mittelhoch vor.
4. Couscous zubereiten: In einer trockenen, mittelgroßen Pfanne bei mittlerer bis niedriger Wärme den Couscous unter üblicher Mischung 8 bis 10 Minuten lang rösten, bis er eine brillante, erdige Farbe hat. An einem sicheren Ort aufbewahren.
5. Ziehen Sie die Mango ab, stellen Sie sie mit einer leichten Kante auf das Ende und führen Sie Ihre Klinge in die Nähe der Samenmitte, um 2 Schnitte von jeder der verschiedenen Seiten abzuschneiden, wobei 4 Schnitte alle 1/2 Zoll dick sind. (Essen Sie die übrig gebliebene Mango für einen Leckerbissen.) Schneiden Sie die Zucchini den langen Weg in 1/3-bis 1/2-ZollStücke.
6. Die Mango mit Zucchinistücken auf beiden Seiten mit

Pflanzenöl bestreichen und 6 bis 8 Minuten braten, bis sie verbrannt und zart sind. Abkühlen lassen und anschließend in 1/2-Zoll-Klumpen schneiden.

7. In einer mittelgroßen Pfanne die Hühnerbrühe bis zum Kochen erhitzen. Fügen Sie den gerösteten Couscous hinzu, mischen Sie ihn, decken Sie ihn ab, verringern Sie die Wärme und schmoren Sie ihn nur 7 Minuten lang. Legen Sie die Mango, Zucchini, 1/2 Teelöffel Salz, die Margarine und Petersilie; 1 Moment kochen lassen - für die Zubereitung mit Braten schmecken. Warm halten.

8. Fügen Sie die Garnelen auf ein Schneidebrett und setzen Sie sie in Versammlungen von 6 zusammen. Verwenden Sie 2 Stäbchen für jede Versammlung (dies schützt sie vor dem Herunterfallen in den Grill und erleichtert das Drehen), kleben Sie die Garnelen. Die Garnelen grillen, bis sie gerade durchgegart sind, 2 Minuten für jede Seite, und auf dem Couscous servieren.

26.Tuna Salat Gurke Pita Chips Obst

Befestigungen:

- 1 Tasche (ca. 7 oz) Thunfisch
- 1/4 Tasse verminderte Fettmayonnaise oder Portion gemischtes Gründressing
- 1/4 Tasse ohne fetten Joghurt
- 1/2 Tasse gespaltene Gurke
- 2 Esslöffel gespaltene rote Zwiebel
- 2 Esslöffel gespaltenes neues oder 1 Teelöffel getrocknetes Dillkraut
- 1 Teelöffel ohne Salzgeschmack
- 2 Vollkornbrot (Taschenbrot) (8 Zoll)
- 1 Tasse Salat zerstört
- 1 kleine Tomate, aufgeschlitzt (1/2 Tasse)

Schritte:

1. Verhindern Sie, dass Ihr Bildschirm beim Kochen langweilig wird.
2. Mischen Sie in einer mittelgroßen Schüssel Fisch, fettarme Mayonnaise, Joghurt, Gurke, Zwiebel, Dill und Zubereitungsmischung.
3. Schneiden Sie das Fladenbrot in der Mitte durch, um die Taschen zu formen. 1/4 der Mischung in jede Fladenbrothälfte geben. Salat und Tomate hinzufügen.

4. Truthahn Windräder Trauben Karotten Hummus

5. Schichten von Truthahn, Provolone-Käse und Babyspinat auf einem weichen Tortilla-Wrap mit Hummus... Diese Truthahn-Hummus-Windräder sind eine köstliche Idee für die Zubereitung von Mahlzeiten oder Snacks!

27.Türkei Windräder Trauben Karotten Hummus

Zutaten:

1. Weiche Tortilla Wrap
2. Esslöffel Hummus
3. Scheiben Ultradünne Provolone Sargento Scheiben
4. Stücke Putenfleisch zum Mittagessen

5. Kleine Handvoll Babyspinat

Anleitung:

1. Eine dünne Schicht Hummus auf eine Seite der weichen Tortillafolie auftragen.
2. Die ultradünnen Provolone Sargento-Scheiben und den Truthahn auf den Hummus legen. Verteilen Sie den Babyspinat auf einer Seite des Truthahns und des Käses.
3. Beginnen Sie mit dem Wickeln, indem Sie den Rand der Tortilla über den Spinat falten und die Tortilla so fest wie möglich rollen.
4. Schneiden Sie die Verpackung in 1-Zoll-Rollen und servieren Sie.

28. Tuna Frikadellen gebratenes Gemüse

Befestigungen

FÜR DIE TOMATENSAUCE

- Olivenöl
- 1 kleine Zwiebel, abgestreift und fein gespalten
- 4 Knoblauchzehen, abgestreift und fein geschnitten
- 1 Teelöffel getrockneter Oregano
- 2 x 400 g hochwertige Pflaumentomaten aus der Dose
- Meersalz
- frisch gemahlener dunkler Pfeffer
- Rotweinessig
- 1 kleines Bündel neue ebene Petersilie, Blätter gepflückt und allgemein gespalten

FÜR DIE FLEISCHBÄLLE

- Fragen Sie Ihren Fischhändler nach 400 g Fisch aus unterstützbaren Quellen
- Olivenöl
- 55 g Pinienkerne
- 1 Level Teelöffel gemahlener Zimt
- Meersalz
- frisch gemahlener dunkler Pfeffer

- 1 Teelöffel getrockneter Oregano
- 1 kleines Bündel neue ebene Blattpetersilie, gespalten
- 100 g flache Semmelbrösel
- 25 g Parmesan, frisch gemahlen
- 2 nicht eingezäunte Eier
- 1 Zitrone

Orientierungshilfe:

1. Mir ist klar, dass jeder ein Liebhaber von Fleischbällchen ist, deshalb dachte ich, ich würde Ihnen eine Formel dafür geben, da sie etwas Einzigartiges sind. Ich habe gesehen, wie sie in Sizilien ähnlich hergestellt wurden, wobei eine Kombination aus Schwertfisch und Fisch verwendet wurde - jedoch keine gestoßenen oder verzinnten Fische. Diese müssen mit neuem Fisch hergestellt werden und werden ständig unauffällig mit sizilianischen Gewürzen zubereitet - diese Formel gehört ebenfalls zur gleichen Klasse wie die Fleischanpassungen!
2. Machen Sie zunächst Ihre Sauce. Stellen Sie einen riesigen Behälter auf die Wärme, geben Sie einen ordentlichen Zug Olivenöl, Zwiebel und Knoblauch

hinzu und braten Sie ihn nach und nach etwa 10 Minuten lang, bis er zart ist. Fügen Sie Ihren Oregano, die Tomaten, Salz und Pfeffer hinzu und bringen Sie ihn in die Blase. Etwa 15 Minuten dünsten, dann glatt rühren. Geschmack - Möglicherweise ist ein winziges Getränk Rotweinessig oder ein zusätzliches Aroma erforderlich.

3. Während die Tomaten schmoren, spalten Sie den Fisch in 2,5 cm große Würfel. Gießen Sie ein anständiges Paar Olivenöl-Esslöffel in eine riesige Bratpfanne und stellen Sie die Wärme auf. Den Fisch mit den Pinienkernen und dem Zimt in die Pfanne geben. Mit Salz und Pfeffer leicht würzen und einen Moment braten, um den Fisch von allen Seiten zu kochen und die Pinienkerne zu rösten. Aus der Wärme entfernen und die Mischung in eine Schüssel geben. 5 Minuten abkühlen lassen, dann Oregano, Petersilie, Semmelbrösel, Parmesan, Eier sowie Zing und Zitronensaft in die Schüssel geben. Verwenden Sie Ihre Hände, um die Aromen wirklich zu zerkleinern und in den Fisch zu mischen, teilen Sie die Kombination auf und drücken Sie sie in Fleischbällchen, die etwas bescheidener sind als ein Golfball. Wenn Sie beim Formen eine Ihrer Hände in Wasser tauchen, erhalten Sie eine anständige glatte Oberfläche auf dem Fleischbällchen. Für den Fall, dass die Mischung klebrig ist, fügen Sie ein paar weitere Semmelbrösel hinzu. Halten Sie die

Fleischbällchen in einer ähnlichen Größe und stellen Sie sie auf einen geölten Teller. Stellen Sie sie dann eine Stunde lang in den Kühlschrank, damit sie sich ausruhen können.

4. Stellen Sie das Gericht, in dem Sie den Fisch gesungen haben, mit etwas Olivenöl auf die Wärme. Fügen Sie Ihre Fleischbällchen in den Behälter und wackeln Sie mit ihnen, bis sie eine brillante, erdige Farbe haben. Sie sollten die Trauben zerstören - wenn sie fest sind, fügen Sie sie zu den pürierten Tomaten hinzu, verteilen Sie sie zwischen Ihren Tellern, bestreuen Sie sie mit gehackter Petersilie und duschen Sie sie mit großartigem Olivenöl. Unglaublich präsentiert mit Spaghetti oder Linguine.

29. Yank Hühnerbananen Kohl (Oberschenkel ohne Knochen)

Befestigungen:

- Esslöffel Walkerswood Hot and Spicy Jamaican Jerk Seasoning
- 4 Hähnchenschenkel mit Knochen und Haut
- 2 Hähnchenbrust mit Knochen und Haut
- 1 Teelöffel Öl oder Kochdusche

Richtlinien:

1. Schneiden Sie Hühnerfleisch mit der Spitze einer scharfen Klinge ein
2. Legen Sie mit einer behandschuhten Hand einen Esslöffel der Marinade in die Einstiegspunkte und unter die Haut des Huhns
3. Fügen Sie 2,5 zusätzliche Esslöffel der Marinade in eine Ziptop-Packung und fügen Sie Huhn hinzu
4. Das Huhn in die Marinade geben und 8-24 Stunden im Kühlschrank ruhen lassen
5. Heizen Sie den Ofen auf 425 Grad Fahrenheit vor
6. Wenn der Broiler erwärmt ist, ölen Sie das kochende Gericht vorsichtig ein und erhitzen Sie es
   50 Minuten lang
7. 10 Minuten ruhen lassen und servieren

30.Sesam Hähnchenfleischbällchen

Karotten erdfarbener Reis

Befestigungen:

- Rapsöl zum Bürsten
- 1 Pfund gemahlenes Huhn, idealerweise dunkles Fleisch
- 1/2 Tasse einfache trockene Brotreste
- 1/3 Tasse gehackte Frühlingszwiebeln, zusätzlich zu spärlich geschnittenen Frühlingszwiebeln zum Verschönern
- 3 Esslöffel gehackter gestrippter neuer Ingwer
- 1 riesiges Ei
- 2 gehackte Knoblauchzehen
- 2 Teelöffel geröstetes Sesamöl
- 2 Teelöffel Sojasauce
- 1/4 Teelöffel echtes Salz
- Asiatische Chilisauce zum Servieren

Richtlinien:

Bühne 1

Den Broiler auf 450 ° vorheizen und ein umrandetes Heizblech mit Rapsöl bestreichen. Mischen Sie in einer großen Schüssel den Rest der Zutaten neben der Chilisauce. Strukturieren Sie die Mischung in 1/2-ZollKugeln und Mastermind auf dem Heizblatt. Die

Fleischbällchen mit Rapsöl bestreichen und ca. 13 Minuten vorbereiten, bis sie sautiert und durchgegart sind. Die Fleischbällchen auf eine Platte legen und mit asiatischer Chilisauce präsentieren.

31.Beef Quinoa Spargel anbraten

Zutaten:

- Mediavine
- 12 Unzen Rinderhackfleisch
- 3/4 Tasse Quinoa
- 3/4 Tasse Wasser
- 3/4 Tasse Spargel
- 3 Karotten
- 2 Teelöffel Sesamöl
- 2 Esslöffel Sojasauce
- 1/3 Tasse Erbsen

Richtlinien:

1. Das Wasser und die Quinoa in einem kleinen Topf festigen. Zu einem Eintopf bringen und 15-20 Minuten schmoren lassen. Kümmert sich um Fleisch und Gemüse, während die Quinoa kocht.

2. Schneiden Sie die Karotten in 1/8 Zoll dicke Stücke und hacken Sie anschließend den Spargel in verkleinerte Stücke.

3. Erwärme eine Pfanne über mittlerer Wärme. Fügen Sie 1 Teelöffel dieses Sesamöls und 1 Esslöffel

Sojasauce hinzu. Fügen Sie das Hackfleisch hinzu und mischen Sie es, um es gleichmäßig zuzubereiten. Verwenden Sie einen Holzlöffel, um das Fleisch in kleine Stücke zu teilen. 4-5 Minuten kochen lassen, bis praktisch der gesamte Hamburger karmeliert ist.

4. Finde die Karotten oben auf dem Hamburger. Decken Sie die Pfanne ab, verringern Sie die Wärme auf niedrig und lassen Sie sie 5 Minuten lang schmoren. Zu diesem Zeitpunkt das übrig gebliebene Sesamöl und die Sojasauce darüber streuen. Fügen Sie die Erbsen und den Spargel hinzu. Mischen, die Wärme auf mittel-niedrig erhöhen, an diesem Punkt die Pfanne wieder abdecken und weitere 5 Minuten kochen lassen.

5. Polstern Sie die Quinoa mit einer Gabel und geben Sie sie in die Kombination aus Hamburger und Gemüse. Alles vermischen und anschließend auf Teller schöpfen.

32.Türkei Süßkartoffel Taco Schüssel

Befestigungen:

- 1 riesige Yamswurzel
- Olivenöl, legitimes Salz, Pfeffer, Kreuzkümmel, gemahlener Zimt
- 1 Pfund gemahlener Truthahn (oder Fleisch oder Huhn)
- 1 Bündel Taco vorbereiten
- 3/4 Tasse leicht scharfe Creme
- 3/4 Tasse Salsa
- Ermessensspielraum: scharfe Soße
- 1 Glas dunkle Bohnen aufgebraucht und gewaschen
- 1 Dose Mais erschöpft
- 1 Tasse neuer Koriander aufgeschlitzt
- 1 Avocado
- 1 Tasse zerstörter Cheddar
- 1 Limette in Keile geschnitten

Richtungen:

1. Schneiden Sie die Yamswurzel in 1-Zoll-Blöcke. Auf ein Vorbereitungsblatt legen und mit Olivenöl bestreuen. Mit Salz, Pfeffer, Kreuzkümmel und gemahlenem Zimt bestreuen. Werfen, um gerecht

zu decken. 20-25 Minuten in einem 425-Grad-Ofen stellen und teilweise durch die Garzeit werfen.

2. Während die Yamswurzeln kochen, legen Sie den gemahlenen Truthahn bei mittlerer Wärme in eine Pfanne. Wenn erdig gefärbt ist, fügen Sie das TacoVorbereitungspaket neben 1/4 Tasse Wasser hinzu - kochen Sie es weitere 5 Minuten lang.

3. Mischen Sie die leicht scharfe Sahne, Salsa und scharfe Sauce (wann immer gewünscht) in einer Schüssel und legen Sie sie an einen sicheren Ort.

4. Wenn die Yamswurzeln und das Puten-Taco-Fleisch etwas abgekühlt sind, sammeln Sie Ihre Gerichte an. In jede Schüssel Yamswurzeln, Taco-Fleisch, Mais, dunkle Bohnen, neuen Koriander, Avocado (kurz vor dem Servieren schneiden) und Cheddar geben. Nachträglich mit Limettenschnitzen und dem scharfen Creme-Salsa-Dressing präsentieren.

5. Das Abendessen bereitet die Extras nachträglich in Fächer mit dem Dressing vor, wann immer dies gewünscht wird, mit Ausnahme der Avocado, da diese erdig wird

33.Herbed Chicken gelber Reis gekochter Brokkoli

Befestigungen:

- 2 Esslöffel Öl, getrennt
- 1/2 Pfund Hühnchenstreifen, in Streifen geschnitten Substitutionen zugänglich
- 1 Tasse gehackte Zwiebel
- 1/2 Teelöffel gehackter Knoblauch
- 2 1/2 Tassen Wasser
- 1 Bündel Zatarain's® Yellow Rice Mix
- 1 Bündel (10 Unzen) gefrorene Brokkoliröschen, aufgetaut
- 1 Tasse zerstörter Cheddar

Richtlinien:

1. Erwärme 1 Esslöffel Öl in einer riesigen Pfanne bei mittlerer bis hoher Wärme. Fügen Sie Huhn hinzu; kochen und mischen 5 Minuten oder bis sautiert. Beseitigen Sie Huhn; an einem sicheren Ort aufbewahren
2. Erwärme den überschüssigen 1 Esslöffel Öl in der Pfanne. Fügen Sie Zwiebel und Knoblauch hinzu; kochen und 4 Minuten lang oder bis sie weich sind mischen. Wasser hinzufügen; Zum Blasen bringen und mischen, um gekochte Stücke aus dem unteren Teil der Pfanne zu liefern. Reismischung

untermischen; Wiederholung der Blase. Reduzieren Sie die Wärme auf niedrig; abdecken und 20 Minuten schmoren

3. Brokkoli und Hühnchen über Reis legen; Startseite. 5 Minuten länger kochen oder bis Brokkoli und Huhn durchgewärmt sind

4. Cheddar darüber streuen; Startseite. Von der Hitze entfernen. 5 Minuten stehen lassen oder bis der Cheddar verflüssigt ist.

34.Egg Roll Bowl

Befestigungen

- 1 EL. Pflanzenöl
- 1 Knoblauchzehe, gehackt
- 1 EL. gehackter neuer Ingwer
- 1 Pfund gemahlenes Schweinefleisch
- 1 EL. Sesamöl
- 1/2 Zwiebel, fein geschnitten
- 1 c. zerstörte Karotte
- 1/4 Grünkohl, dürftig geschnitten
- 1/4 c. Sojasauce
- 1 EL. Sriracha
- 1 Frühlingszwiebel, fein geschnitten
- 1 EL. Sesamsamen

Gilden:

1. In einer riesigen Pfanne bei mittlerer Wärme Pflanzenöl erhitzen. Fügen Sie Knoblauch und Ingwer hinzu und kochen Sie 1 bis 2 Minuten lang, bis es duftet. Fügen Sie Schweinefleisch hinzu und kochen Sie, bis keine rosa restlichen Teile mehr vorhanden sind.

2. Schieben Sie das Schweinefleisch beiseite und fügen Sie Sesamöl hinzu. Fügen Sie Zwiebel, Karotte und Kohl hinzu. Mischen, um mit Fleisch zu konsolidieren und Sojasauce und Sriracha hinzufügen. 5 bis 8 Minuten kochen, bis der Kohl empfindlich ist.

3. Die Mischung auf eine Servierplatte geben und mit Frühlingszwiebeln und Sesam verfeinern. Dienen.

35.Wurst Zucchini Pfanne

Befestigungen:

- 1 Esslöffel Margarine oder Olivenöl
- 1/2 Tasse Zwiebel um 3/4 Tasse schneiden
- 1 Teelöffel gehackter Knoblauch 1-2 Nelken
- 14 Unzen geräucherter Frankfurter schnitten die Mitte auf dem langen Weg und danach in 1/4-ZollStücke
- 2 mittelgroße Zucchini schneiden die Mitte auf dem langen Weg und danach in 1/4-Zoll-Stücke
- 1 gelber Kürbis in der Mitte des langen Weges und danach in 1/4-Zoll-Stücke schneiden
- 2 Tassen Trauben- oder Kirschtomaten schneiden fünfzig bis fünfzig auf dem langen Weg
- 1 Teelöffel getrockneter Oregano
- 1/2 Teelöffel rote Pfefferstücke
- 1/2 Teelöffel Salz wann immer gewünscht

Richtlinien:

1. Erwärmen Sie eine 12-Zoll-Pfanne bei mittlerer Wärme.
2. Margarine in der Pfanne verflüssigen, an diesem Punkt die gewürfelte Zwiebel hinzufügen; mischen und kochen, bis die Zwiebeln empfindlich sind.

3. Den Knoblauch untermischen und 30 Sekunden kochen lassen, bevor das geschnittene geräucherte Wiener Würstchen hinzugefügt wird.

4. Kochen, bis das Wiener Würstchen karmeliert ist. ca. 7 Minuten.

5. Gemüse und Aromen untermischen und weitere 7 Minuten kochen lassen oder bis die Zucchini fertig ist (zart, aber gleichzeitig mit einem Hauch von Brei).

6. Alleine oder über einem Bett aus gedämpftem Reis servieren.

36.Bef Kartoffeln Spinat Artischockenschale

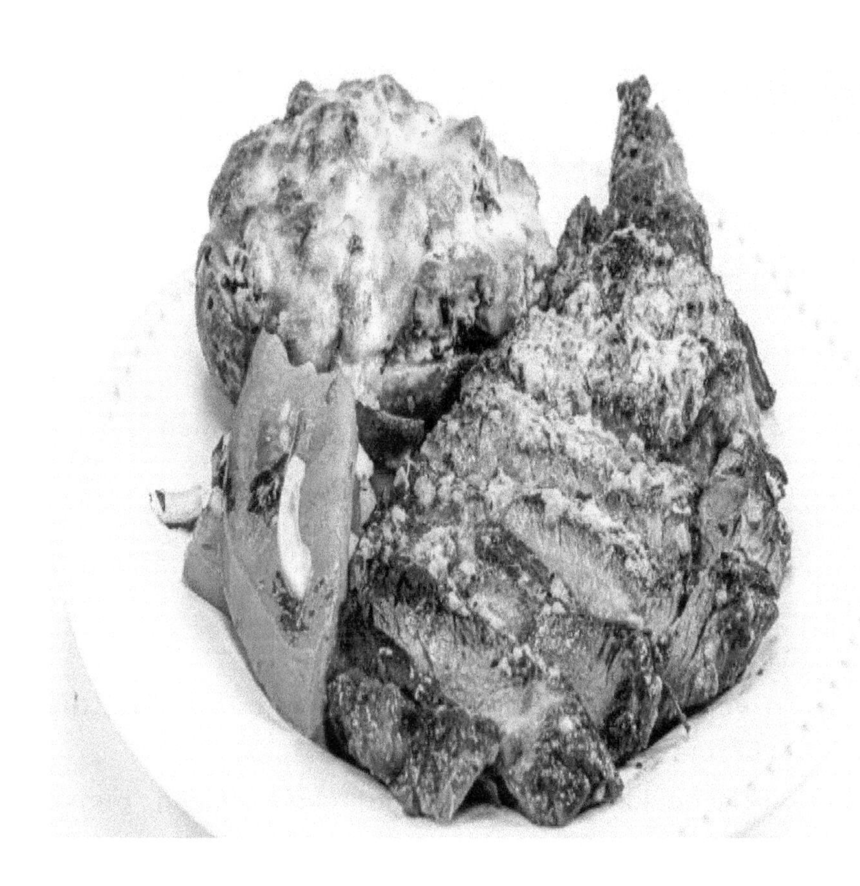

Befestigungen:

- 1 Tasse Schlagsahne-Cheddar, entspannt
- 1/2 Tasse scharfe Sahne

- 1 Tasse gewichtige Creme
- Ich kann Artischockenherzen, erschöpft und allgemein aufgeschlitzt
- 2 Tassen gekochter Spinat (aufgetaut, wenn er gefroren ist), gut aufgebraucht und aufgeschlitzt
- Salz und Pfeffer nach Geschmack
- 3 Pfund Yukon Goldkartoffeln, abgestreift und in 1/4-Zoll-Anpassungen geschnitten
- 1/2 Stick ungesalzener Aufstrich, fein geschnitten
- 8 Unzen Monterey Jack Cheddar, zerstört
- 1/2 Tasse Parmesan-Cheddar, fein gemahlen
- 1 Esslöffel ungesalzener Aufstrich, aufgelöst

Richtlinien:

1. In einer großen Schüssel den Sahne-Cheddar, die kräftige Sahne, die scharfe Sahne, die Artischocken und den Spinat glatt rühren. Fügen Sie Salz und Pfeffer hinzu, um zu schmecken, und fügen Sie umso schwerere Sahne hinzu, wenn die Mischung noch zu hart ist, um überhaupt eine schnelle Ausbreitung in Betracht zu ziehen. Bei frühzeitiger Herstellung auf Raumtemperatur bringen.
2. Heizen Sie den Ofen auf 400 ° F vor.

3. Legen Sie in einem tiefgründigen Gericht eine Schicht Kartoffeln so aus, dass die Ränder etwas bedeckt sind. Verteilen Sie eine weite Schicht der samtigen Spinat-Artischocken-Mischung auf den Kartoffeln (es muss nicht großartig sein), streuen Sie dann eine schmale Schicht Cheddar darüber und geben Sie 3-4 dünne Margarine-Stücke darauf.

4. Mit einer weiteren Schicht Kartoffeln bedecken, sicherstellen, dass die Ränder nur geringfügig bedeckt sind, und mit der Spinat-ArtischockenKombination aufwärmen, bis Ihnen die Befestigungen so gut wie ausgehen.

5. Die letzte Kartoffelschicht darauf verteilen, reichlich mit der verflüssigten Margarine bestreichen und mit dem Parmesan-Cheddar bedecken, bevor man zum Broiler geht.

6. Die Hitze wird 30-40 Minuten lang sichtbar, bis die Kartoffeln zart sind und die Oberseite eine brillante, erdige Farbe und frisch hat. Vom Herd nehmen und vor dem Servieren 15 Minuten ruhen lassen.

37.Teriyaki Truthahn Reisschale

Befestigungen

- 1 und 1/2 Tasse Jasminreis
- 3-4 Knoblauchzehen (6 Gramm)
- 1 Esslöffel Sesam
- 1 riesiger roter Ringerpfeffer (ca. 340 Gramm)
- 4-5 mittelgroße Karotten (ca. 227 Gramm)
- 3er Pack Säuglingsbokchoy um 227 Gramm)
- 4 Stiele Frühlingszwiebel
- 1/2 Tasse vegane Schalentiersauce
- 4 EL Hoisinsauce
- 1 Esslöffel Maisstärke
- 500 Gramm gemahlener Truthahn
- 5 EL Speiseöl
- 1/2 Salz
- 1/2 TL Pfeffer
- 2 und 1/2 Tassen zusätzlich zu 1 Tasse Wasser
- Mediavine

Richtlinien:

1. Waschen und trocknen Sie Ihr Gemüse. Knoblauch hacken und die Frühlingszwiebeln dürftig schneiden. Streifen Sie die Karotten ab und schneiden Sie sie

   in 1/4 Zoll dicke Einstellungen, zentrieren Sie den Ringerpfeffer und schneiden Sie sie in 1/2 Zoll große Stücke. Trennen Sie die Bokchoy-Blätter des Kindes und schneiden Sie jedes Stück in 2-3 Abschnitte, die unterschiedlich sind.

2. Erwärme einen mittleren Topf über mittlerer Wärme. Fügen Sie 1/2 EL Speiseöl hinzu. Fügen Sie den Knoblauch, den Reis und die Hälfte der Sesamkörner hinzu. Mischen Sie die Befestigungen manchmal, bis sie duftend sind. Fügen Sie vorsichtig 2 und 1/2 Tassen Wasser hinzu. Bei hoher Wärme die Reiskombination bis zum Kochen erhitzen. 2 Minuten lang sprudeln lassen, die Wärme senken und abdecken. 12-14 Minuten kochen lassen, bis die Flüssigkeit aufgenommen ist und der Reis zart ist. Aus der Wärme entfernen und an einem sicheren Ort aufbewahren.

3. Öl in einem riesigen Behälter erwärmen. 2 EL Speiseöl hinzufügen. Fügen Sie die Karotten und Paprika hinzu. Bei starker Wärme die Kombination kochen, bis sie zart frisch ist. Das Gemüse etwa 5 Minuten lang nebenbei werfen - mit Salz und Pfeffer würzen. Fügen Sie den Bokchoy hinzu und kochen Sie ihn weitere 5 Minuten oder bis er weich

ist. Legen Sie das Gemüse auf einen Teller und bedecken Sie es mit Folie oder Papiertuch, um es warm zu halten.

4. Dann die Schalentiersauce, die Hoisinsauce, die Maisstärke und 1 Tasse Wasser in einer mittelgroßen Schüssel verquirlen, bis die Mischung keine Beulen mehr aufweist.

5. 1 EL Speiseöl in einer ähnlichen Schüssel erwärmen. Bei mittlerer Wärme den Truthahn kochen und mit dem Utensil aufteilen. Wenn der Truthahn karmeliert ist und keine rosa Schattierung mehr vorhanden ist, leeren Sie die Muschelsaucenmischung vorsichtig in den Behälter. Bis zum Kochen erhitzen. Verringern Sie die Wärme und kochen Sie weiter, bis die Sauce etwas eingedickt ist. Stimmungskiller die Wärme.

6. Den Reis mit einer Gabel aufhellen. Einen Teil der Frühlingszwiebeln untermischen und mit ein oder zwei Rührei Salz abschmecken. Um die Reisschüsseln zu sammeln, löffeln Sie den Reis zwischen die Schüsseln, geben Sie die Truthahnkombination und das Gemüse darauf. Verbessern Sie die Gerichte mit den überschüssigen Sesamkörnern und Frühlingszwiebeln.

38.Bar-b-que Garnelen-Yam-Spargel

Befestigungen:

FÜR DIE GEGRILLTEN SÜSSEN KARTOFFELN

- 2 riesige Yamswurzeln
- 2 Esslöffel Avocadoöl oder Olivenöl
- Meersalz nach Geschmack

FÜR DAS SHRIMP:

- 1 Pfund rohe Garnelen abgestreift und entdarmt
- 1 Esslöffel Avocadoöl oder Olivenöl
- 2 Esslöffel Tequila nach Belieben
- 1 Teelöffel Paprika
- 1 Teelöffel Knoblauchpulver
- 1/4 Teelöffel Meersalz nach Geschmack

FÜR DIE SCHÜSSELN:

- 4 Tassen gekochter erdfarbener Reis
- 2 Avocados abgestreift und geschnitten
- 2 Tassen Kirschtomaten geteilt
- 2 Tassen Rotkohl, fein geschnitten
- 2 Fresno Chilis geschnitten
- 2 Limetten in Keile geschnitten
- Koriander nach eigenem Ermessen
- Sriracha zum Servieren

Richtlinien:

1. Richten Sie die süßen Kartoffeln ein:

Finde Yamswurzeln in einem Topf und lade sie mit Wasser auf. Zu einer vollen Blase bringen und 5 bis 8 Minuten kochen, bis die Kartoffeln besänftigt sind und noch nicht durchgekocht sind. Bewegen Sie die Kartoffeln auf ein Schneidebrett und lassen Sie sie ausreichend abkühlen, um damit fertig zu werden. Nach dem Abkühlen in 1/4-Zoll dicke Einstellungen schneiden. Yam-Schnitte mit Öl bestreichen und mit Meersalz bestreuen.

2. Richten Sie THE SHRIMP ein:

Den Flammenbraten auf mittelhoch vorheizen. Die Elemente für die Garnelen in einen verschließbaren Sack geben und gut schütteln, um sie zu verbinden. Lassen Sie die Garnelen marinieren, während sich das Flammenbraten erwärmt.

3. Flammenbraten DIE SÜSSEN KARTOFFELN UND GARNELEN

Wenn es heiß ist, legen Sie die Yamswurzelstücke auf den Grill. Die Flamme für jede Seite 5 bis 8 Minuten braten, bis tiefe Bratenabdrücke sichtbar werden und die Yamswurzeln durchgekocht sind. Gehen Sie zu einem Schneidebrett. Nach dem Abkühlen die Yamswurzeln in Stücke von gewünschter Größe schneiden. Garnelen auf den heißen Grill geben und 2

Minuten für jede Seite oder bis zum Durchkochen braten.

4. Richten Sie die BOWLS ein:

Trennreis zwischen 3 und 4 Gerichten. Mit gegrillten Garnelen und Yam, Avocado, Kohl, Tomaten, FresnoChilis, Limettenschnitzen und Koriander belegen. Mit Sriracha bestreuen, wann immer es gewünscht wird.

39. Zitronendill Huhn Rosmarin Kartoffeln Gemüse

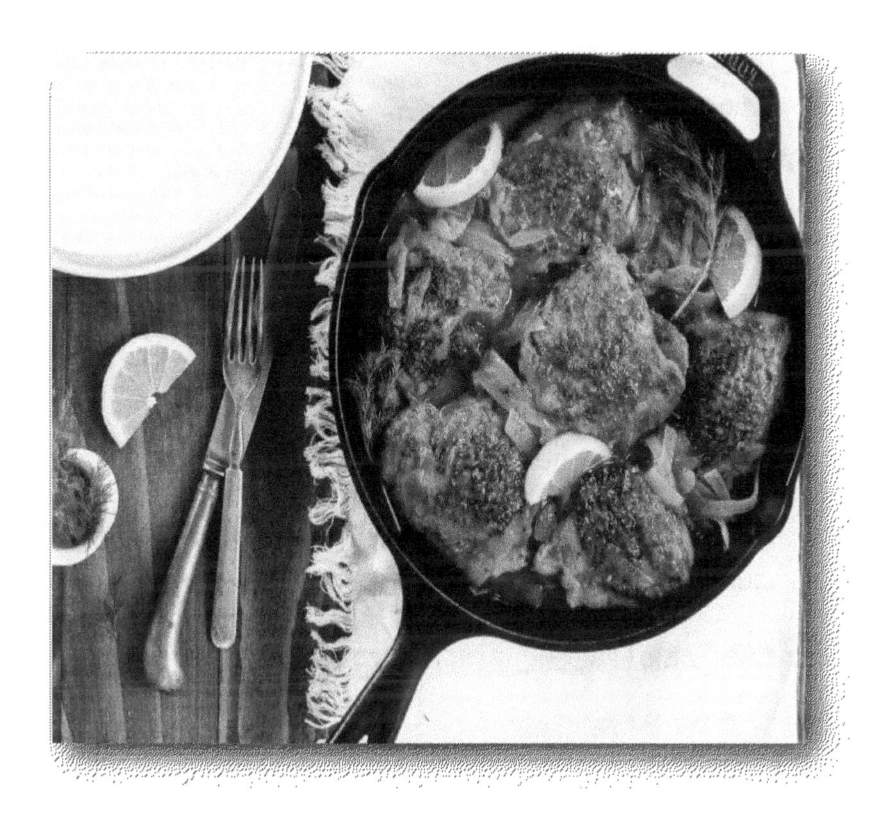

Befestigungen:

- 8-10 Bits Ihres Nr. 1-Stücks Hühnerhaut auf Knochen
- 1 Pfund rote Kartoffeln für Kleinkinder
- 1/2 Zwiebel - riesige Stücke schneiden
- 2 Zitronen 1 geschnitten und 1 zusammengedrückt
- 1/3 Tasse Olivenöl
- 2 Knoblauchzehen gehackt
- 1 Esslöffel neuer Rosmarin zusätzlich zu Zweigen zum Trimmen oder 2 Teelöffel trocken
- 1/2 Teelöffel gequetschte rote Pfefferstücke
- 1/2 Teelöffel Salz
- 1/2 Teelöffel neu gemahlener Pfeffer

Richtlinien:

1. Heizen Sie den Broiler auf 400 Grad vor.
2. Duschen Sie ein Glas 13-Zoll. x 9 Zoll. Heizschale mit Kochdusche. Hähnchenstücke (mit der Haut nach oben), Kartoffeln, geschnittene Zwiebeln und

Zitronenstücke gleichmäßig in der Pfanne orchestrieren.

3. In einer kleinen Schüssel Zitronensaft, Olivenöl, Knoblauch, Rosmarin, zerquetschte rote Pfefferstücke, Salz und Pfeffer verquirlen.
4. Gießen Sie die Kombination über das Huhn und stellen Sie sicher, dass das ganze Huhn bedeckt ist. Wirf ein Stück, wenn es grundlegend ist.
5. Reichlich mit extra Salz und Pfeffer bestreuen.
6. Die Hitze zeigte sich etwa 60 Minuten lang oder bis Hühnchen und Kartoffeln vollständig gekocht sind.

40. Nektar Sesam Huhn grünen Bohnen Reis

ANLEITUNGEN

- ¾ lb Hühnchentender
- ½ Tasse Jasminreis
- 6 Unzen grüne Bohnen
- 2 TL Gochujang
- 1 EL Honig
- 1 EL Sesamöl
- 2 EL Sojaglasur
- 1 TL Schwarz-Weiß-Sesam

Orientierungshilfe:

1 Reis kochen:

Entfernen Sie den Nektar aus dem Kühlschrank, um ihn auf Raumtemperatur zu bringen. Fügen Sie in einem kleinen Topf 1 Tasse Wasser, einen großen Salzfleck und einen großen Teil des Gochujang hinzu, je nachdem, wie pikant der Reis sein soll. Schnell beitreten. Fügen Sie den Reis und die Wärme hinzu, um hoch zu sprudeln. Verringern Sie beim Sprudeln die Wärme auf niedrig. Decken Sie es ab und kochen Sie es 12 bis 14 Minuten lang, ohne es zu mischen, oder bis der Reis empfindlich ist und das Wasser aufgebraucht ist. Stimmungskiller die Wärme und das Kissen mit einer Gabel.

2 Machen Sie die Sauce:

Während der Reis kocht, verbinden Sie in einer Schüssel den Nektar (manipulieren Sie das Bündel vor dem Öffnen), Sojamantel, Sesamöl und 2 Esslöffel Wasser.

3 Das Huhn würzen und die grünen Bohnen kochen:

Während der Reis weiter kocht, wischen Sie das Huhn mit Papiertüchern ab - würzen Sie es auf beiden Seiten mit Salz und Pfeffer. Erhitzen Sie in einer riesigen Schüssel (Antihaft, wenn Sie keine haben) eine Prise Olivenöl auf mittlerer Höhe bis heiß. Fügen Sie die grünen Bohnen und 1 Esslöffel Wasser hinzu (vorsichtig, da die Flüssigkeit verspritzen kann); mit Salz und Pfeffer würzen. Kochen, oft mischen, 1 bis 2 Minuten oder bis etwas entspannt. Schieben Sie die grünen Bohnen beiseite von der Pfanne.

4 Kochen Sie das Huhn und servieren Sie Ihr Gericht:

Fügen Sie das vorbereitete Huhn in einer gleichmäßigen Schicht auf die gegenüberliegende Seite der Pfanne. 3 bis 5 Minuten kochen, ohne zu mischen, oder bis das Huhn fein gebraten ist. Dreh das Huhn um. Fügen Sie die Sauce hinzu (vorsichtig, da die Flüssigkeit verspritzen kann). Weiter kochen, regelmäßig mischen, 3 bis 5 Minuten oder bis das Huhn durchgekocht ist und die grünen Bohnen empfindlich sind. Servieren Sie das gekochte Huhn, die grünen Bohnen und die Sauce über dem gekochten Reis. Mit den Sesamkörnern belegen. Schätzen!

41.Kichererbsen-Curry-Quinoa-Spinat

Befestigungen

- 150 g Hühnerbrust, gewürfelt
- 1 Tasse Spinat
- 2 Knoblauchzehen

- 1 Tasse Kichererbsen in Dosen, gewaschen und aufgebraucht
- 1/2 Tasse Quinoa, gekocht
- 2 EL scharfe Creme
- 1 EL Tomatenkleber
- 1 TL Koriander
- 1 TL Kreuzkümmel
- 1 TL gequetschter roter Pfeffer
- 1/3 Tasse Basilikumblätter
- 2 EL Olivenöl
- 1 kleine Zwiebel

Richtlinien

1. Die Zwiebel mit Olivenöl, Kreuzkümmel, Koriander und dem gequetschten roten Pfeffer duftend anbraten.
2. Fügen Sie die Hühnerhülle mit einem Deckel für 3-4 Minuten oder bis fast fertig.
3. Die Kichererbsen untermischen und etwas Wasser (falls erforderlich, ca. 2 EL) und den scharfen Sahne- und Tomatenkleber hinzufügen. 2 Minuten kochen lassen.

4. Quinoa und Spinat untermischen. Zum Schluss Knoblauch und Basilikum untermischen und kochen, dabei 1-2 Minuten weiter mischen, bis alles fest ist.

5. Warm servieren!

42. Türkei Hackbraten Blumenkohl zerquetschen Spargel

Befestigungen

PUTENHACKBRATEN:

- 1 Esslöffel Olivenöl
- 1 süße Zwiebel, gewürfelt
- 2 gehackte Knoblauchzehen
- ½ Tasse neue gespaltene Petersilie, zusätzlich zur Befestigung
- 1 Pfund Shady Brook Farms 93% gemahlene Türkei
- 3/4 Tasse vorbereitete Brotstücke
- 1/2 Tasse Milch
- 1 riesiges Ei, fein geschlagen
- 2 Esslöffel Ketchup oder BBQ-Sauce
- 1 Esslöffel Worcestershire-Sauce
- 1 Teelöffel legitimes Salz
- 1/2 Teelöffel getrocknetes Basilikum
- ½ Teelöffel getrocknete Petersilie
- ½ Teelöffel Knoblauchpulver
- ½ Teelöffel frisch gebrochener dunkler Pfeffer
- ⅓ Tasse Ketchup
- 2 ½ Esslöffel erdfarbener Zucker
- 1 Esslöffel Apfelsaftessig

Gekochter GARLIC CAULIFLOWER MASH

- 2 Köpfe Knoblauch
- 2 Teelöffel Olivenöl
- 1 riesiger Blumenkohl
- 2 Esslöffel verteilt, aufgelöst
- 1/4 Tasse Kochflüssigkeit aus dem Blumenkohl
- Salz und Pfeffer

Richtungen:

1. Heizen Sie den Herd auf 375 Grad vor. Braten Sie zuerst den Knoblauch. Schneiden Sie die Spitzen von den Knoblauchköpfen ab und duschen Sie sie mit Olivenöl. Legen Sie die Köpfe in Folie und stecken Sie sie 40 Minuten lang in den Ofen oder irgendwo in der Nähe, während Sie alles andere machen!
2. Eine Pfanne bei mittlerer Wärme erwärmen und das Olivenöl hinzufügen. Zwiebeln und Knoblauch unterrühren und ca. 5 Minuten kochen, bis sie besänftigt und klar sind. Die neue Petersilie untermischen. Aus der Wärme entfernen und etwas abkühlen lassen.
3. In einer Schüssel den gemahlenen Truthahn, die Zwiebel, den Knoblauch, die Brotreste, die Milch,

das Ei, den Ketchup, die Worcestershire-Sauce, das Salz, das Basilikum, die Petersilie, den Knoblauch und den Pfeffer zusammengeben. Verwenden Sie Ihre Hände, um die Kombination zu vereinen, bis sie gerade konsolidiert ist und die Befestigungen gleichmäßig transportiert werden. Strukturieren Sie die Mischung in kleine Hackbraten mit einer Dicke von etwa 1 Zoll und einer Länge von 2 Kriechen.

4. Erwärme eine ähnliche Pfanne wieder bei mittlerer Wärme und füge einen weiteren Esslöffel Olivenöl hinzu. Fügen Sie die Hackbraten in die Pfanne und erdig gefärbt auf beiden Seiten, ca. 3 bis 4 Minuten für jede Seite.

5. Mischen Sie den Ketchup, den erdfarbenen Zucker und den Essig in einer Schüssel - Löffel 1 bis 2 Esslöffel auf jeden Hackbraten. Stellen Sie die Pfanne in den Ofen und bereiten Sie sie für 20 bis 25 Minuten vor oder bis der Brennpunkt der Hackbraten bei 165 Grad F liegt. Wenn Sie fertig sind, bestreuen Sie sie mit neuer Petersilie.

6. Während die Hackbraten im Broiler sind, lassen Sie Ihren Blumenkohl zerdrücken. Den Blumenkohlkopf in Röschen schneiden. Finde es in einem riesigen Topf oder Topf und bedecke es mit Wasser, fast einen Zentimeter hinter der Spitze des Blumenkohls. Erhitzen Sie die Mischung bis zum Kochen und kochen Sie sie bis sie zart ist, etwa 10

Minuten oder irgendwo in der Nähe. Kanalisieren Sie den Blumenkohl und halten Sie etwa 1/4 Tasse der Flüssigkeit.

7. Den Blumenkohl in eine Küchenmaschine geben und pürieren. Die Kochflüssigkeit und den erweichten Aufstrich zusammen mit einem Fleck Salz und Pfeffer einströmen lassen. Zu diesem Zeitpunkt sollten die Knoblauchzehen gekocht werden. Drücken Sie sie vom Papier in das Blumenkohlpüree. Nochmals pürieren, um zu konsolidieren. Bei Bedarf mit mehr Salz und Pfeffer abschmecken und würzen.

8. Servieren Sie die Hackbraten und den Blumenkohl mit einem Gemüse Ihrer Wahl! Ich liebe eine grüne Bohne oder Rosenkohl. Schätzen!

43. Haussalat (vegan)

Befestigungen:

- 2 Köpfe Romaine (ca. 6 - 8 Tassen), gespalten
- ¾ Tasse Brot garniert
- ½ Tasse zerstörte Karotten
- ½ Gurke, dürftig geschnitten
- ¼ rote Zwiebel, schneiden
- bescheidene Bund Kirschtomaten, in der Mitte geschnitten
- Apfelwein-Vinaigrette
- 4 Esslöffel Apfelsaftessig (vorzugsweise Bragg's Rohöl)
- 3 Esslöffel Olivenöl (siehe Hinweise)
- 1 - 2 Teelöffel Dijon
- 1 Knoblauchzehe, gehackt
- ¼ - ½ Teelöffel Salz + Pfeffer

Richtlinien:

1. Vinaigrette: In einer kleinen Schüssel oder einem Glasbehälter Apfelsaftessig, Olivenöl, Dijon, Knoblauch und Salz + Pfeffer verquirlen. Nach Geschmack würzen.
2. Salat sammeln: In einer riesigen Schüssel mit Romaine (oder grünem Grün der Entscheidung) beladen, mit Karotten, Zwiebeln, Gurken und

Brotgarnituren belegen. Streuen Sie das Dressing darüber und werfen Sie es zusammen.

3. Serviert 4 - 6 kleine Beilagen oder 1 - 2 als Hauptessen.

4. Für mehr Oberfläche und Geschmack in einzelnen Gerichten servieren, mit Kokosnussspeck, knusprig gerösteten Kichererbsen oder Mandelparmesan für Abwechslung belegen. Eine Prise Pepitas, Sonnenblumenkerne oder Hanfsamen wäre ebenfalls liberal!

5. Aufbewahrung: Reste können bis zu 2 - 3 Tage im Kühlschrank aufbewahrt werden. Für den Fall, dass die Zubereitung für das Abendessen nicht möglich ist, ist es möglicherweise ideal, den Teller mit gemischtem Grün und Dressing unabhängig zu halten, bis er zum Servieren vorbereitet ist

44. Lachsei-Teller mit gemischtem Grün auf Grün

Befestigungen:

- Metrisch
- 2 Filetteile neuer Lachs ohne Haut und ohne Knochen (jeweils ca. 150 g)
- 4 Eier
- 2 Diamant-Salatherzen, in Keile geschnitten
- 6 dunkle Oliven, in der Mitte geschnitten
- 6 grüne Oliven, in der Mitte geschnitten
- 8 Kirschtomaten, vierteln
- 80 g feine grüne Bohnen
- 1 geschnittenes Pitta-Brot, angegriffene kleine, unvorhersehbare Formen
- 2 EL scharfe Creme, geschwächt mit ½ EL Hochtemperaturwasser
- 3 EL Olivenöl zum Kochen und zum Dressing
- 1 Balsamico-Essig darüber streuen
- 2 Filetsegmente von neuem Lachs ohne Haut und ohne Knochen (jeweils ca. 150 g)
- 4 Eier
- 2 Perlensalatherzen, in Keile geschnitten
- 6 dunkle Oliven, in der Mitte geschnitten

- 6 grüne Oliven, in der Mitte geschnitten
- 8 Kirschtomaten, vierteln

.5 Unzen feine grüne Bohnen

- 1 geschnittenes Pitta-Brot, angegriffene kleine, sporadische Formen
- 2 EL scharfe Creme, geschwächt mit $\frac{1}{2}$ EL erhitztem Wasser
- 3 EL Olivenöl zum Kochen und zum Dressing
- 1 Balsamico-Essig darüber streuen
- 2 ilet Stücke neuer Lachs ohne Haut und ohne Knochen (jeweils ca. 150 g)
- 4 Eier
- 2 Juwelensalatherzen, in Keile geschnitten
- 6 dunkle Oliven, in der Mitte geschnitten
- 6 grüne Oliven, in der Mitte geschnitten
- 8 Kirschtomaten, vierteln
- 2,8 Unzen feine grüne Bohnen
- 1 geschnittenes Pitta-Brot, angegriffene kleine, sporadische Formen
- 2 EL scharfe Creme, geschwächt mit $\frac{1}{2}$ EL Hochtemperaturwasser
- 3 EL Olivenöl zum Kochen und zum Dressing

- 1 Balsamico-Essig darüber streuen

Orientierungshilfe:

1. Kochen Sie zunächst den Lachs. Einen Antihaftbehälter erwärmen und etwas Olivenöl hinzufügen. Den Lachs von allen Seiten kochen, bis er karamellisiert ist und ein leicht kochendes Aussehen hat. Dies sollte ungefähr 7 Minuten dauern. Wenn Sie fertig sind, lassen Sie den Lachs nachträglich etwas abkühlen, während Sie verschiedene Stücke aufstellen.

2. Um die Eier zu kochen, erhitzen Sie einen kleinen Topf Wasser bis zum Kochen. Senken Sie die Eier mit einem geöffneten Löffel zart ein. Blasen Sie 34 Minuten lang - abhängig von der Größe des Eies. Eliminieren und abkühlen lassen. Streifen und in Keile schneiden.

3. Erhitze etwas Wasser und koche die grünen Bohnen für 1 Moment. Beseitigen Sie die Bohnen und kühlen Sie schnell in Viruswasser. Die Bohnen sollten grün und knusprig sein. Kanalisieren Sie die Bohnen und legen Sie sie in eine Schüssel.

4. Erwärmen Sie eine Pfanne mit Antihaftbeschichtung und braten Sie die zerrissenen Pitta-Brotgarnituren - sie sollten brillant erdfarben und leicht knusprig sein - und geben Sie diese zu den Bohnen in der Schüssel. Die

Perlenherzen, Oliven und Tomaten in die Schüssel geben.

5. Den ganzen Teller mit gemischten grünen Zutaten mit etwas nativem Olivenöl und einer Prise Balsamico-Essig bestreuen. Lassen Sie die Portion gemischtes Grün zwischen zwei Tellern.

6. Nehmen Sie jetzt Ihren Lachs und manövrieren Sie das Gewebe mit sauberen Händen (oder zwei Löffeln) in riesige, liberale Chips. Stellen Sie den gekochten Lachs auf die Portion gemischten Grüns. Fügen Sie zusätzlich die gesprudelten Eierschnitze hinzu. Duschen Sie über einem kleinen scharfen Cremedressing.

45. Buffalo Chicken Gurke schneidet Obst

Befestigungen

- 1 Gurke, in Viertel-Zoll-Schnitte geschnitten (sollte ungefähr 16 Stück ergeben)
- 3 Esslöffel zerstörtes Huhn
- $\frac{1}{4}$ Tasse Sahne-Cheddar entspannt
- 3 Teelöffel scharfe Soße (oder wie Sie es vorziehen würden)
- 3 Teelöffel Sellerie, fein gespalten
- 1 $\frac{1}{2}$ Esslöffel Mozzarella-Cheddar
- 1 Teelöffel Farm Dressing oder $\frac{1}{2}$ Teelöffel Farm Preparing
- Salz und Pfeffer nach Geschmack
- 3 Esslöffel zerfallener blauer Cheddar
- Petersilie zum Dekorieren
- Mediavine

Richtlinien

1. In einer kleinen Schüssel Hühnchen, SahneCheddar, scharfe Sauce, Mozzarella-Cheddar, Bauernhof und Sellerie hinzufügen. Gut mischen.
2. Richten Sie die Gurke aus und fügen Sie jedem Gurkenschnitt etwa einen Teelöffel SahneCheddar-Mischung hinzu.
3. Top Kombination mit blauem Cheddar.

Verschönerung mit Petersilie, scharfer Soße und Sellerie (wann immer gewünscht).

46. Gewürzige Ananas-Grünkohl-Portion mit gemischtem Grün (Gemüseliebhaber)

Befestigungen:

- 1 kleiner Kopf Lacinato Grünkohl, gewaschen, Stacheln beseitigt und dürftig geschnitten
- 1/2 Tassen gewürfelte neue Ananas
- 1/4 Tasse gehackte rote Zwiebel

- 1 roter Pfeffer, kultiviert und gehackt
- 1 Jalapeño-Pfeffer, gehackt [Samen für weniger Hitze entfernen]
- 1 Limette, zusammengedrückt
- 1/2 kleine Orange, zusammengedrückt
- 1/2 Teelöffel Kreuzkümmelpulver
- 1 Esslöffel Hanfsamen
- 1 Teelöffel Olivenöl [optional]

Richtlinien:

1. Salz und frisch gemahlener Pfeffer nach Geschmack
2. Planen Sie Grünkohl und stellen Sie ihn in eine mittelgroße Schüssel. Reiben Sie den Grünkohl zurück und drücken Sie ihn in Ihre Handfläche, bis er schrumpft - etwa 2 Minuten.
3. In einer anderen Schüssel Ananas, Koriander, Zwiebel, Paprika, Jalapeño, Limetten- und Orangensaft sowie Kreuzkümmelpulver dazugeben. Gut mischen und 15 Minuten einwirken lassen.
4. Ananaskombination mit Grünkohl werfen.
5. Mit Salz und Pfeffer würzen. Mit Olivenöl duschen [falls gewünscht] und kurz vor dem Servieren mit Hanfsamen bestreuen.

47. Kichererbsen Teriyaki Brokkoli erdfarbener Reis (vegetarisch)

Befestigungen

- Teriyaki Kichererbsen
- Ich kann Kichererbsen (siehe Anmerkungen)
- 1/2 Tasse Teriyaki-Sauce (118 ml)
- 1 kleiner roter Glockenspielpfeffer, aufgeschlitzt
- Salz und Pfeffer nach Geschmack
- Gekochter Rosenkohl
- 3 Tassen Rosenkohl (264g)
- 1 EL Olivenöl
- Salz und Pfeffer nach Geschmack
- Pilz-Brokkoli unter Rühren braten
- 9 kleine Pilze, geschnitten
- 1 kleiner Brokkolikopf, in bescheidenere Stücke gehackt
- 1 EL Öl
- 3 Knoblauchzehen, gehackt
- 2 EL Sojasauce
- Dunkler Pfeffer nach Geschmack

Richtlinien:

1. Waschen Sie Rosenkohl unter Viruswasser, um Schmutz zu entfernen, und schneiden Sie gegebenenfalls die Stängel ab. Kanal vollständig und trocken auf einem Aufbau, bauen Sie ein kostenloses Küchentuch auf.

2. Schneiden Sie sie in der Mitte ab und stellen Sie sie auf den Zubereitungsteller. Die Stücke gleichmäßig mit Olivenöl bestreichen und mit Salz und dunklem Pfeffer würzen. Legen Sie die geschnittenen Stücke mit der Seite nach unten und geben Sie sie 15 bis 20 Minuten lang bei 180 ° C in den Broiler, bis sie erdig und fest sind. Drehen Sie die Beispiele teilweise während der Garzeit um.

3. In der Zwischenzeit das überschüssige Öl in einer Pfanne erhitzen und Brokkoli und Pilze hinzufügen. Kochen, bis der Brokkoli anfängt zu bräunen. Zu diesem Zeitpunkt mit Sojasauce, Knoblauch und dunklem Pfeffer würzen. Aus der Pfanne entfernen.

4. Kichererbsen, Jungvögel und sautierte Speisen mit Reis oder Nudeln servieren

48.Jerk Truthahn Pastetchen Gemüse

Zutaten:

- 1 Pfund magerer gemahlener Truthahn
- 1/3 Tasse Ruckmarinade
- 1/3 Tasse einfache Semmelbrösel
- 2 ganze Frühlingszwiebeln, gehackt
- 1/2 Teelöffel koscheres Salz
- 1/4 Teelöffel Pfeffer
- 1 Esslöffel Olivenöl
- 1 kleine reife Mango, geschält und in Scheiben geschnitten

Anleitung:

1. Kombinieren Sie in einer großen Schüssel den Truthahn, die Ruckmarinade, die Semmelbrösel, die Frühlingszwiebeln, das Salz und den Pfeffer. Nicht übermischen.
2. Formen Sie die Mischung in 4 flache, gleichmäßige Pastetchen; beide seiten gut mit öl bestreichen. Auf ein mit Pergamentpapier ausgelegtes Backblech geben.
3. Legen Sie die Pastetchen mindestens 1 Stunde lang in den Kühlschrank.

4. Grill für mittelhoch vorheizen. Ölen Sie die Grillroste gut ein und kochen Sie die Burger 5-6 Minuten pro Seite oder bis sie durchgegart sind. Die Innentemperatur erreicht 165 Grad Fahrenheit und ist in der Mitte nicht mehr rosa.

5. Auf Brötchen mit Mayo und frischer reifer Mango servieren!

49.Herb Hühnchen Spargel Süßkartoffel

Befestigungen:

- 1 riesige Yamswurzel, abgestreift und in 1/2-ZollStücke geschnitten
- 1/4 Tasse Olivenöl, isoliert
- 4 Knoblauchzehen, gequetscht oder fein geschnitten, getrennt
- 2 Teelöffel getrockneter Oregano, isoliert
- 2 Teelöffel Basilikum, isoliert
- 2 Teelöffel Petersilie, isoliert
- Salz und frisch gemahlener dunkler Pfeffer
- 600 g knochenlose, hautlose Hühnerbüste, gewürfelt in 1/4-Zoll-Stücke
- 1 riesiger Brokkolikopf in Röschen geschnitten (ca. 3 Tassen Röschen)
- 1 Paprika (Paprika), entkernt und in Keile geschnitten
- 1 mittelrote Zwiebel, in Keile geschnitten Richtungen

1. Den Broiler auf 200 ° C vorheizen.
2. Ein riesiges Heizblech mit Materialpapier oder Aluminiumfolie auslegen. Yamswurzeln auf dem Teller orchestrieren; Mit 1 Esslöffel Öl (oder genug, um es gleichmäßig zu bedecken), 1

zerquetschten Knoblauchzehe, 1/2 Teelöffel Oregano, Basilikum und Petersilie bestreuen. Gut werfen, um vollständig zu bedecken. Mit Salz und Pfeffer würzen und gleichmäßig verteilen. Mit Folie abdecken und 20 Minuten in einem heißen Grill braten, während das übrig gebliebene Gemüse aufgebaut wird.

3. Die Yamswurzeln beginnen sich ab sofort einfach zu entspannen (sie werden sogar jetzt bis zu einem gewissen Grad hart sein, wenn auch äußerlich empfindlich). Vom Herd nehmen und das Huhn, den Brokkoli, die Paprika und die Zwiebel um die Yamswurzeln herum verteilen. Mit restlichem Öl bestreuen. Fügen Sie den Knoblauch und die Gewürze hinzu. Alles zusammen werfen, um das Öl vollständig zu bedecken - mit zusätzlichem Salz und Pfeffer abschmecken.

4. Besuchen Sie den Herd erneut und bereiten Sie ihn für 15 bis 20 Minuten vor. Drehen Sie das Huhn und verschiedene Zutaten einmal während des Kochens, bis das Huhn durchgekocht ist und nicht, zu diesem Zeitpunkt rosa in der Mitte, und verschiedene Gemüsesorten durchgekocht sind.

5. Sofort servieren ODER auf Raumtemperatur abkühlen lassen, in 4 Halter aufteilen und das Abendessen für die Woche vorbereiten!

50.Italian Truthahn Hotdog Paprika rote Kartoffeln

Befestigungen

- 4 riesige Kartoffeln abgestreift und geviertelt, gelb oder rotbraun, ungefähr 2 Pfund
- 3 Esslöffel Olivenöl zusätzliche Jungfrau, isoliert
- 3-4 Knoblauchzehen grob gespalten
- 2 mittelgroße Zwiebeln schneiden
- rote Pfefferstücke nach Belieben auspressen
- 4 italienische Wiener Würstchen in Drittel geschnitten
- 1 Paprika verwaltet und geschnitten
- 1 gelber Pfeffer geschafft und geschnitten
- 4-5 Frühlingszwiebeln schneiden
- 1-1½ Teelöffel Paprika
- Salz und Pfeffer nach Geschmack
- 3-4 Esslöffel italienische Petersilie neu und fein gehackt

Richtlinien

1. Den Broiler auf 220 ° C vorheizen.
2. Stellen Sie den Herd auf das untere Gemeinschaftsgestell, das das zweite von der Basis ist.

3. Die Kartoffelschnitze in einen riesigen Topf mit kaltem Salzwasser geben.

4. Bis zum Kochen erhitzen, die Wärme verringern und anschließend schmoren, bis zart oder eine Klinge durchstoßen kann. Dies dauert ungefähr 8-10 Minuten, abhängig davon, wie dick Ihre Keile sind.

5. Fügen Sie 2 Esslöffel Olivenöl zu einer riesigen Pfanne bei mittlerer bis hoher Wärme hinzu.

6. Verringern Sie die Wärme auf mittel, fügen Sie 3-4 gespaltene Knoblauchzehen hinzu und mischen Sie sie etwa 30 Sekunden lang.

7. Fügen Sie die 2 geschnittenen Zwiebeln hinzu und kochen Sie sie etwa 5-7 Minuten lang.

8. Nach Belieben Salz und Pfeffer hinzufügen. Für den Fall, dass Sie ein wenig Wärme mögen, können Sie ein oder zwei rote Pfefferstücke hinzufügen.

9. Die italienischen Wiener Würstchen in die Schüssel geben und mit den Zwiebeln verbinden. Ca. 10 Minuten anbraten.

10. Überprüfen Sie die Kartoffeln auf Branntwein.

11. Für den Fall, dass eine Klinge ohne große Dehnung eingebettet werden kann, ist sie fertig. Bewegen Sie die gekochten Kartoffeln mit einem geöffneten Löffel in eine riesige Schüssel.

12. 1 Teelöffel Paprika und 1 Esslöffel Olivenöl hinzufügen. Mit den Parboiled-Kartoffeln verbinden und an einem sicheren Ort aufbewahren.

13. Die geschnittenen roten und gelben Paprikaschoten und die Frühlingszwiebeln in den Behälter geben.

    Braten Sie für ungefähr 5 Minuten oder bis sie einfach anfangen zu mildern

14. Bewegen Sie sowohl die Wiener Würstchen- als auch die Kartoffelkombination zu einem riesigen, tiefgründigen Zubereitungsgericht (ca. 9 x 13 Zoll).

15. Zärtlich zusammen werfen.

16. Wann immer gewünscht, mit etwas mehr Paprika, etwa einem halben Teelöffel oder ähnlichem bestreuen.

17. Mit Aluminium abdecken und ca. 20 Minuten erhitzen.

18. Zeigen Sie es auf und bereiten Sie es für weitere 15 bis 20 Minuten vor oder bis der größte Teil der Feuchtigkeit verschwunden ist und die oberste Schicht nach allen Angaben angenehm gekocht zu sein scheint.

19. Gehen Sie zu einer Servierplatte, verschönern Sie sie mit neuer Petersilie und servieren Sie sie.

FAZIT

Die Mittelmeerdiät ist keine Einzeldiät, sondern ein Essmuster, das sich an der Ernährung südeuropäischer Länder orientiert. Der Schwerpunkt liegt auf pflanzlichen Lebensmitteln, Olivenöl, Fisch, Geflügel, Bohnen und Getreide.

Lightning Source UK Ltd.
Milton Keynes UK
UKHW020648120521
383579UK00001B/55